Eliane

D0625445

LE SECRET
DES DARCOURT

Derniers romans parus dans la collection Modes de Paris :

LES MYSTERES DE KALI
    par Edwina MARLOW
DANGEREUX HERITAGE
    par Virginia COFFMAN
ENIGME EN VIEILLE VILLE
    par Jacqueline BELLON
LA PRINCESSE DE MOLDAVIE
    par Robert TYLER STEVENS
SI NOUS NOUS AIMIONS...
    par Robert TYLER STEVENS
AVENTURE A MADERE
    par Marjorie CURTIS
L'ILE DES CŒURS ARDENTS
    par Elisabeth OGILVIE
JOANNA OU LE BONHEUR RETROUVÉ
    par Elisabeth OGILVIE
LE VENT SOUFFLE DE L'ORIENT
    par Ann MARLOWE
UNE ETRANGE INVITATION
    par Jacqueline BELLON
LA NEIGE ETAIT ROSE
    par Edna DAWES
LORRAINE, SECRETAIRE TEMPORAIRE
    par Dorothy DANIELS

A paraître prochainement :

AU-DELA DES MARECAGES
    par Isabelle HOLLAND

Isabelle HOLLAND

LE SECRET
DES DARCOURT

(Darcourt)

Traduit de l'anglais
par P. NICOLAS

ROMAN

LES EDITIONS MONDIALES
2, rue des Italiens — Paris-9ᵉ

© By Isabelle Holland 1976 et Les Editions Mondiales 1978.
(Tous droits réservés.)
ISBN N° 2-7074-4122-8

CHAPITRE PREMIER

La route défilait, bordée de part et d'autre de terrains marécageux : un océan de joncs d'un gris verdâtre, parsemé de plus en plus de ces grands chênes dont j'avais tant entendu parler.

— Cette partie de la côte de Caroline du Sud ressemble au coin de Louisiane dans lequel j'ai grandi, m'avait dit le rédacteur en chef, la dernière fois que je l'avais vu.

Et il avait ajouté, avec un soupir nostalgique :

— Quand vous êtes né à la campagne, il vous en reste toujours quelque chose.

— C'est du moins ce qu'on prétend, avais-je répliqué. Mais le petit campagnard qui sommeille en vous, à vous entendre, me paraît bien caché sous une bonne couche de sophistication new-yorkaise. Il faudrait creuser aussi profond que les puits de pétrole de Darcourt pour le mettre à jour.

— D'accord.

Brian Colby, avec ses cheveux savamment

ébouriffés, ses gros favoris et ses pulls à col roulé, avait bien l'air de ces New-Yorkais pur-sang qui ont l'impression d'avoir besoin d'un passeport pour franchir les ponts et se rendre « sur le continent ».

Il se redressa dans son fauteuil.

— Eh bien, tout est-il réglé pour vous ? J'aimerais autant que vous ne téléphoniez pas au journal, si jamais vous avez besoin de pren-dre contact. Je ne sais pas si je vous ai déjà donné mon numéro personnel ? Le voici, à toutes fins utiles.

Il griffonna un numéro sur un bout de papier qu'il me tendit.

Brian était jeune pour être le rédacteur en chef d'un grand magazine d'information : trente-sept ans ; dix de plus que moi, tout juste. Il était divorcé et, selon ce qu'il m'avait dit quand nous avions fait connaissance, quelques mois auparavant, il jouissait pleinement de sa liberté.

Il m'avait invitée plus d'une fois chez lui, mais j'étais toujours parvenue à trouver un bon prétexte pour ne pas accepter, car l'intérêt que je lui portais — je me serais bien gardée de le lui dire en face, naturellement — était entière-ment professionnel. Je menais une carrière assez honorable de journaliste indépendante et je connaissais naturellement beaucoup de monde, si bien que je n'avais pas eu de difficultés à faire sa connaissance, lorsque cela m'avait été utile pour le but que je visais personnellement, et pour donner une apparence purement for-tuite à notre rencontre.

Etant donné sa situation de divorcé, j'avais
eu moins de mal encore à attirer son attention
— surtout lorsque je lui avais fait part de l'intérêt que je portais aux entreprises pétrolières
des Darcourt.

A cette époque de pénurie d'énergie et de
désordres au Moyen-Orient, il était facile
d'éveiller l'intérêt d'un responsable de journal
en lui parlant d'un empire pétrolier national,
même lorsqu'il s'agissait d'une entreprise aussi
vieille et respectable que la Société des carbu-
rants Darcourt.

Les Darcourt étaient depuis longtemps un
des grands noms d'Amérique, et ils s'occupaient
de bien d'autres affaires : immobilier, céréales,
navigation maritime, tabac, riz, pour n'en citer
que quelques-unes. Mais, à la différence de
dynasties comme les Kennedy et les Rockfeller,
ils ne s'étaient jamais mêlés de politique. Leur
fortune était légendaire. Leur réputation d'inac-
cessibilité aussi.

Assez curieusement, ils avaient réussi, depuis
des générations, à rester à l'abri des commérages. Les photos de leurs demeures ne paraissaient dans aucun magazine à la mode. Jamais
on ne voyait leurs noms dans les échos mon-
dains. Ils ne donnaient aucune publicité aux
naissances, aux mariages, aux décès qui devaient
pourtant bien marquer la vie de leur famille,
comme chez tout un chacun.

Mais, une rumeur courait, depuis quelque
temps — une rumeur dont personne ne connaissait l'origine et qu'on eût été bien en peine de

confirmer — suivant laquelle le gouvernement essayait de s'attirer les bonnes grâces du chef actuel de la famille Darcourt. L'objectif de la manœuvre était, paraît-il, de faire sortir Darcourt de sa retraite et de l'amener à présider une commission qui allait être instituée pour étudier les problèmes mondiaux de l'énergie.

Lorsque le bruit avait couru pour la première fois, il avait déclenché un beau tapage. Un grand patron de la presse avait déclaré catégoriquement : « Il serait impossible à un Darcourt de se dégager suffisamment de ses intérêts commerciaux pour qu'on ne puisse mettre en doute son impartialité. » Il continuait en expliquant combien ces intérêts étaient complexes et imbriqués. « Pourtant, poursuivait l'oracle, aucun citoyen ne devrait se considérer comme exempt de l'obligation de service public, pour quelque raison que ce soit. Aucun ressortissant américain ne peut se dérober à une réquisition du gouvernement, et moins que tout autre un homme dont la famille a accumulé des biens représentant une telle partie de la fortune nationale. Que Tristan Darcourt vienne donc s'expliquer devant une commission sénatoriale ! »

Ce fut à ce moment-là que le représentant de Tristan Darcourt — un avocat attaché à la famille —, interrogé par téléphone, déclara en termes formels que Darcourt ne briguait aucun poste officiel, qu'il ne s'était jamais intéressé à la politique, qu'il ne s'y intéresserait jamais. On raconta partout qu'il avait dit : « Je ne parviens pas à comprendre comment une idée aussi ridicule a pu être avancée. C'est une absurdité ! »

Bien entendu, ces déclarations ne firent qu'attiser la curiosité publique.

Les responsables de tous les grands journaux, de toutes les grandes revues, de toutes les chaînes de radio et de télévision, envoyèrent des correspondants dans les propriétés que les Darcourt possédaient dans le Maine, en Louisiane, dans le Montana et, naturellement, au quartier général de la famille, dans l'île Darcourt, sur la côte de la Caroline du Sud.

Ils ne virent tous que des domestiques : des couples âgés, des jardiniers, des employés de ranch — enfin, tous ceux qui entretenaient ces nombreuses résidences quand la famille ne les occupait pas. Quant à l'île Darcourt, qui était propriété privée, ils ne furent tout bonnement pas autorisés à y mettre les pieds. L'île, qui n'était pas grande, était surveillée de façon très efficace par des chiens policiers.

Mais personne ne vit réellement Tristan Darcourt. On passa les vieux dossiers au peigne fin. On alla compulser les annuaires des universités. La seule photo que l'on put trouver fut un instantané surexposé pris par un étudiant qui avait partagé la chambre de Darcourt, au collège. On n'y distinguait guère qu'une haute silhouette musclée en survêtement de sport. C'était la figure qui avait le plus souffert de la surexposition, et la photo aurait vraiment pu représenter n'importe qui.

On chercha des renseignements auprès d'amis, d'ennemis, de domestiques, d'associés d'affaires. Les amis se révélèrent aussi forts pour éluder les questions que Darcourt lui-même et, pressés dans leurs retranchements, avouèrent n'être que des relations lointaines, incapables d'ajouter quoi que ce fût au maigre capital des informations tombées dans le domaine public. On s'aperçut que les ennemis ne s'étaient jamais battus contre Darcourt qu'en bourse ou dans des conseils d'administration ; aucun d'eux ne l'avait jamais rencontré personnellement. Il en était de même des associés, qui n'avaient jamais eu affaire qu'à d'autres associés.

— C'est à croire que ce type est un mythe, un symbole, grommela Brian, quand je vins le trouver pour lui faire part de mon idée.

— Peut-être n'existe-t-il pas, en effet, dis-je calmement.

Il me regarda, étonné d'être pris au mot, puis haussa les épaules.

— Enfin, on peut toujours essayer de s'en assurer. Seulement, j'ai peur que l'intérêt suscité par cette affaire ne soit émoussé quand vous aurez découvert quelque chose. On parle déjà de quelqu'un d'autre pour la présidence de la commission.

C'était bien ce dont j'avais peur, moi aussi : je craignais que l'intérêt du public ne retombât avant que je parvinsse à me faufiler dans l'île.

— Admettons, dis-je prudemment. Votre

magazine ne resterait-il pas intéressé par un article bien documenté sur Darcourt, malgré tout ?

— Certes. Mais, pas autant.

— Même si je trouvais des preuves que Darcourt était au courant du boycott du pétrole arabe un an ou plus avant qu'il ne soit devenu effectif ?

— Vous savez quelque chose ? répliqua vivement Brian.

Je ne me sentais pas trop à mon aise sous le regard perspicace de Brian.

— Non, avouai-je. Mais, cela pourrait être vrai, non ?

— Que diable manigancez-vous, Sally ?

— Je vous l'ai dit. Je veux simplement obtenir un poste dans l'île comme institutrice d'Alix Darcourt.

— Je voudrais vous poser quelques petites questions à ce sujet, Sally, dit Brian, soupçonneux. D'abord, comment avez-vous su que les Darcourt cherchaient une institutrice pour leur fille — et soit dit en passant, pourquoi ne la mettent-ils pas simplement à l'école comme tout le monde ? Ensuite, qu'est-ce qui vous fait croire que ces gens-là, qui ont dû dépenser des millions pour se garder de tous les pièges possibles des journalistes, ne feront pas enquêter sur votre compte ? Voyons, ils sauront en cinq minutes que vous n'êtes pas plus institutrice que moi !

— Vous devez bien vous douter que j'y ai pensé. Je ne vais pas là-bas sous mon nom de

Sally Wainright. Je me présenterai sous le nom de Thérèse Le Breton, institutrice, avec tous les certificats voulus pour le prouver.

— Thérèse Le Breton ? Un personnage que vous avez inventé de toutes pièces ?

— Pas du tout ! Thérèse est une amie de collège de La Nouvelle-Orléans. Elle court le monde, depuis plusieurs années, comme préceptrice dans les familles riches.

— Et où est-elle, en ce moment ?

— En France. Elle enseigne l'anglais aux enfants d'une famille française. Elle trouve mon idée sensationnelle.

— Vous avez confiance en elle ?

— En Thérèse ? Bien sûr, voyons !

Brian tripotait distraitement les crayons éparpillés sur son bureau. Par la grande baie vitrée, les lumières de New York faisaient comme un fond de scène théâtral, dorées sur le velours noir de la nuit. Je m'approchai de la fenêtre. J'entendis, derrière moi, la voix de Brian, insistante :

— Comment avez-vous su que les Darcourt cherchaient une institutrice pour leur fille ?

Je me retournai.

— Ce n'est pas moi qui l'ai découvert. C'est Terry. J'avais cherché des renseignements sur Tristan Darcourt dans le Bottin mondain et dans les archives du journal pour lequel je travaillais à ce moment-là. Ça ne m'a pas rapporté grand-chose, mais j'ai tout de même appris qu'il avait une fille de quinze ans. J'ai fureté dans cette direction, et je me suis tournée du

côté des écoles les plus aristocratiques du pays
— il n'y en a guère qu'une demi-douzaine. J'ai
découvert que la petite n'avait été élève d'aucune d'elles. Je me suis dit alors qu'elle avait
pu n'avoir que des institutrices privées, et c'est
là que l'idée m'est venue de me faire passer
pour une préceptrice-institutrice. J'ai donc écrit
à Terry ; je lui ai demandé de faire marcher
ses relations dans ce petit monde d'employées
de familles riches. Elle m'a répondu qu'elle
savait justement que les Darcourt cherchaient
une institutrice pour leur fille. La petite avait
été mise en pension un certain temps, paraît-il,
mais elle aurait quitté brusquement cet établis-
sement. Ce serait une « enfant à problèmes »,
comme on dit — mais Terry ne sait pas quel est
son problème particulier. Et voilà. J'ai posé
ma candidature en présentant les certificats de
Terry.

— Si jamais Darcourt découvre votre supercherie, il pourra vous la faire regretter.

— Pourquoi s'apercevrait-il de quelque
chose ? répliquai-je, désinvolte.

J'étais beaucoup moins tranquille que je ne
voulais m'en donner l'air. Brian, lui-même, ne
savait pas tous les risques que je courais ni
pourquoi.

— Le Breton..., fit Brian, réfléchissant. C'est
un nom assez courant en Louisiane. Avez-vous
été dans ce pays ? Que se passera-t-il s'ils vous
interrogent sur votre enfance, que vous pré-
tendez avoir passée à La Nouvelle-Orléans ?

— Mais, j'y suis allée ! protestai-je, assez

mal à mon aise, au fond. J'ai été me renseigner pour un article, là-bas, une fois que j'étais allée rendre visite à Terry.

Brian m'observait attentivement.

— Vous avez parlé de problèmes pour cette Alix Darcourt. De quel genre ? Supposez que vous vous trouviez en face de difficultés imprévues, que vous ne pourriez pas affronter...

— Qu'allez-vous chercher ? Si c'était quelque chose qui nécessite les soins d'un médecin, d'un psychiatre ou d'un spécialiste quelconque, les Darcourt n'auraient pas recruté une institutrice ordinaire.

— Il faut que vous ayez vraiment envie d'écrire cet article pour vous lancer dans une histoire pareille. Je crois que vous ne vous représentez pas bien les risques que vous courez. Voyez-vous, personne ne sait grand-chose des Darcourt, sauf qu'ils sont riches et puissants et qu'ils entendent évidemment le rester. Mais, personne ne sait rien d'eux personnellement. Des tas de gens ont essayé de franchir le mur de leur vie privée. Personne n'y a réussi. Comprenez bien. Les gens riches et puissants ne sont pas seulement habitués à imposer leur volonté, ils font tout ce qu'il faut pour conserver leurs avantages. S'ils s'aperçoivent que vous leur avez menti et que vous êtes là-bas pour écrire un article sur eux, ils pourraient bien vous faire regretter d'avoir eu cette idée.

— Comment ?

— Je n'en sais rien. Mais, souvenez-vous qu'ils sont rudement plus forts que vous.

— A notre époque ? Je n'en suis pas si sûre. De nos jours, un journaliste peut se permettre d'informer les lecteurs sur la vie privée des gens. Les personnes les plus riches sont obligées de faire particulièrement attention à ne pas donner prise aux médisances.

— Vous parlez des personnes qui ont à redouter l'opinion publique, parce qu'elles briguent des mandats officiels, par exemple. Un homme politique est obligé de bien se conduire, d'accord. Mais, les Darcourt, que peuvent-ils désirer ? Rien, sinon qu'on respecte leur vie privée.

— Et ce poste officiel dont on a parlé pour Tristan Darcourt ?

— Il faudrait d'abord savoir s'il y a quoi que ce soit de vrai là-dedans. C'est peut-être un racontar pur et simple.

— Cet article que je veux faire, ce pourrait être le coup le plus sensationnel de l'année !

— Je suis d'accord avec vous. Nous ne serions pas là à en discuter si je ne le comprenais pas. Seulement, vous avez fait des faux pour vous introduire chez ces gens-là. Vous vous faites passer pour quelqu'un que vous n'êtes pas. Je ne suis pas juriste et je ne sais pas trop ce que notre service de contentieux dirait de cette histoire. Tout ce que je vous dis, moi, c'est ceci : soyez prudente. L'article pourrait être sensationnel, mais je flaire quantité d'embêtements dans votre reportage.

— Froussard ! dis-je.

— C'est bon, c'est bon... Autre chose : comment garderons-nous le contact ? Je ne pense pas que ces gens-là aient rien d'aussi banal qu'un numéro de téléphone ordinaire.

— Ils ne sont pas dans l'annuaire, naturellement. Mais il y a bien le téléphone dans l'île.

— A propos, je n'ai pas bien compris si vous étiez déjà engagée ferme ou si vous vous rendiez simplement là-bas pour avoir une entrevue avec vos éventuels patrons ?

Je fourrageai dans mon sac et en tirai une feuille pliée en quatre.

— A proprement parler, je me rends là-bas pour une entrevue, mais, dans la lettre qu'elle m'a écrite, cette... dame Conyers m'a dit que mes références faisaient bonne impression et que, sauf imprévu, je pouvais compter que je resterais. Voyons, où est-ce ?... Ah oui ! ... *Si nous nous mettons d'accord, et je dois dire que vos origines et votre expérience me font bonne impression, je suis certaine que vous préférerez éviter un nouveau voyage.* C'est assez encourageant, non ?

— Sally, êtes-vous vraiment sûre d'avoir envie de vous lancer dans cette aventure ? Quelle expérience avez-vous ? Serez-vous en état de jouer la comédie ?

— Je n'aurai pas besoin de jouer la comédie, Brian, dis-je. J'ai été institutrice, monitrice, préceptrice.

— Vous ? Quand cela ?

— Quand j'étais à l'orphelinat Sainte-Catherine, dans le Massachusetts. Vous ne vous en doutiez pas, hein ?

— Non, certainement pas. Est-ce encore une de vos inventions ?

— Pas du tout. Mais je n'aime pas beaucoup en parler. J'avais quinze ans quand mon père est mort. J'avais perdu ma mère depuis trois ans. Alors, je me suis sauvée. Bien entendu, la police m'a rattrapée. Comme j'avais été élevée dans un foyer catholique, on m'a mise pour deux ans à l'orphelinat Sainte-Catherine.

— Vous allez sans doute me dire que c'était un horrible endroit ?

— Oh non ! c'était très bien... pour un orphelinat ! En tout cas, j'y ai été monitrice, puis j'ai aidé les bonnes sœurs pour l'enseignement et la surveillance. C'est comme cela que j'ai réussi à poursuivre des études supérieures : elles ont obtenu que le diocèse paie mes études, au moins au début, si bien qu'avec cette aide et ma bourse j'ai pu m'inscrire à Northampton. Mais je peux dire qu'après cette expérience je connais un peu les jeunes.

— J'espère que vous saurez vous débrouiller. Comme je vous l'ai dit, téléphonez-moi à mon domicile personnel. Comment vous rendez-vous là-bas ? en bateau ?

— En voiture et en bateau. Je crois que c'est le seul moyen d'accéder à l'île.

— Eh bien, bonne chance ! Donnez-moi de vos nouvelles. Dans un sens, vous avez raison : cela pourrait faire un article sensationnel.

— Contente que vous le reconnaissiez. Maintenant, avouez que vous avez exagéré les risques que je cours ?

— Cela, non, je ne vous le dirai pas. J'espère seulement m'être trompé, ou que vous passerez au travers.

Je l'espérais aussi — avec beaucoup plus d'appréhension que je n'avais voulu le laisser voir à Brian.

Deux jours plus tard, je roulais sur la chaussée qui traversait les marécages côtiers en direction de l'île Saint-Damien — reliée, en fait, au continent et d'où l'on s'embarquait pour l'île Darcourt.

— Eh bien, Susie, dis-je à ma petite chienne, installée près de moi à l'avant de la voiture, nous y sommes !

Susie est un terrier de Norwich. Elle a de longs poils couleur sable et ne pèse guère que quatre kilos. Elle m'a accompagnée dans tous mes reportages, voyageant quelquefois derrière moi, dans mon sac à dos. Malgré sa taille minuscule, elle a beaucoup de dignité.

— Que veux-tu, Susie, on ne s'attend pas, généralement, à voir une institutrice de bonne maison débarquer avec un compagnon comme toi ! Enfin, les temps changent. A ma connaissance, il n'y a pas de loi interdisant aux demoiselles de compagnie d'avoir elles-mêmes leur demoiselle de compagnie. N'est-ce pas ?

Susie me répondit par un aboiement obligeant.

Juste avant la chaussée qui reliait Saint-Damien au continent, je m'arrêtai au bord de

la route sous d'énormes chênes aux branches
chargées de ce magnifique parasite des Etats-
Unis : la mousse espagnole. Autour de moi, le
silence était complet.

Chez moi, en Nouvelle-Angleterre, c'était
l'époque où la couche de neige était la plus
épaisse. Mais ici, en février, l'air, bien que vif,
était tiède. J'aspirai longuement le parfum qui
montait des marais, et mes narines palpitèrent
en retrouvant cette odeur légère d'humus que
j'avais connue dans la bordure marécageuse de
La Nouvelle-Orléans et au pays des bayous.

J'avais raconté à Brian que je m'étais rendue à La Nouvelle-Orléans pour un reportage,
une fois que je séjournais chez Terry. C'était
vrai. J'avais pris comme prétexte un projet
d'article que je devais faire pour mon école de
journalisme, sur je ne sais quel politicien local.
Mais ma véritable raison était bien différente :
je descendais dans le Sud avec la ferme intention d'enquêter sur le passé de ma mère.

Maman m'avait parlé bien des fois de la vie
qu'elle avait menée en Louisiane dans sa jeunesse. De cette voix douce et rêveuse qui avait
gardé jusqu'à sa mort les curieuses intonations
du français cajun, elle m'avait raconté des histoires sur le Mardi gras, sur les cérémonies de
la Toussaint, sur les haricots rouges, le riz, le
jambalaya et le pompano en papillote qu'on
mange chez Antoine et chez Galatoire, à La Nouvelle-Orléans, sur le couvent dans lequel elle
avait été élevée, sur le point d'honneur que sa
famille mettait à ne jamais parler que français.

Mais, vers la fin de sa vie, il lui arrivait, au milieu d'un récit, de tomber soudain dans un silence étrange. Et, en quelques occasions, ce silence avait été suivi de mots qui n'avaient aucun sens. La première fois que cela lui était arrivé, elle était, je crois, en train de me parler de mon arrière-grand-père. Tout à coup, ma mère s'était arrêtée au milieu d'une phrase. J'avais attendu un peu, puis je lui avais demandé impatiemment :

— Et alors, que s'est-il passé ?

— Je te l'ai dit, Sally-Marie ; elle est morte.

— Qui est mort ? avais-je insisté. Grand-père ?

Silence. Ses yeux noirs grands ouverts, maman me regardait fixement.

— Elle s'en est allée et elle est morte, avait-elle dit enfin.

J'avais été un peu intriguée.

— De qui parles-tu ?

Silence. J'avais essayé de m'y prendre autrement :

— De quoi est-elle morte ?

— Comment veux-tu que je le sache ? Elle était malade. Elle est partie. J'étais encore enfant. Cela ne se faisait pas de parler de choses pareilles devant une fillette. Ce n'aurait pas été convenable.

— Maman, avais-je insisté, de qui me parles-tu ?

Mais, je n'avais pas obtenu de réponse ; ni cette fois ni en aucune des autres occasions où cet étrange petit dialogue se répéta, à quelques légères variantes près.

Maman me regardait fixement, sans rien dire, puis son esprit revenait de l'endroit inconnu où il s'était égaré, et elle continuait la conversation en français.

J'appris assez vite que, lorsque ma mère battait en retraite dans son français, il était inutile de continuer à lui poser des questions. Je n'insistais plus.

Mais, j'étais née avec une curiosité insatiable pour les choses que je n'étais pas censée savoir et une bonne dose de ténacité pour les découvrir. C'est sans doute ce qui devait me pousser vers le journalisme. Malheureusement, avec ma mère, mes questions étaient restées sans réponse, car elle était morte alors que je n'avais que douze ans. Et, même auparavant, durant les deux années qu'avait duré sa maladie, je n'avais guère pu l'interroger.

J'aurais pourtant eu bien des choses à lui demander. Pourquoi avait-elle quitté La Nouvelle-Orléans ? Pourquoi n'allions-nous jamais voir personne de sa famille ? Pourquoi n'avions-nous aucun contact avec la Louisiane méridionale, alors qu'elle avait dû y laisser d'innombrables parents ? Pourquoi, par moments, prenait-elle cet air bizarre, comme si elle avait peur de quelque chose ? Qui était cette « elle » qui était partie et qui était morte ?

J'aimais beaucoup ma mère. Je la trouvais belle et romantique. Elle ne fréquentait personne. Elle préférait passer ses heures de liberté

penchée sur son ouvrage — elle maniait l'ai-
guille avec une habileté consommée — plutôt
qu'en bavardages autour des tasses de café, ou
au club, comme les autres femmes de notre
petite ville de la Nouvelle-Angleterre. Et malgré toutes les petites choses qu'elle me racontait
sur sa vie quotidienne, pendant son enfance et
son adolescence, j'avais l'impression qu'elle
laissait de côté les choses les plus importantes,
celles qui lui donnaient cette personnalité ori-
ginale — ce qu'elle ressentait, ce qu'elle aimait,
ce qu'elle craignait.

J'en parlai un jour à mon père, qui était
très irlandais, lui.

— Laisse donc ça, Sally ! me dit-il. Tu
cours après des rayons de lune, mon petit !

— Il y a un mystère là-dessous, assurai-je,
donnant libre cours à mon amour pour les for-
mules ronflantes et romanesques.

— Sûr qu'il y en a un ! Le mystère, c'est
pourquoi tu m'ennuies avec toutes ces questions idiotes au lieu d'apprendre tes leçons.

— Oui, mais...

— C'est tout, Sally. Si tu me rapportes de
mauvaises notes de l'école, je te promets que
tu n'iras pas au cinéma samedi.

Alors, subjuguée, je retournais à mon latin
— non sans ronchonner.

— Que dis-tu ? demandait mon père, soupçonneux.

Je le regardais par-dessus mon épaule. Ses
yeux noisette pétillaient. Sa main, rendue cal-
leuse par de longues années de travail manuel,

s'avançait vers ma tête et s'emparait d'une de mes boucles.

— Je vous serai obligé de parler poliment, mademoiselle la raisonneuse !

Mon père était doublement irlandais, si l'on peut dire, puisque c'était un catholique de l'Ulster. Il avait ces traits et ce teint qu'on ne trouve guère que sur les côtes du canal du Nord, à l'ouest de l'Ecosse et au nord-est de l'Irlande.

Dans le rétroviseur de l'automobile, je jetai un coup d'œil à mes boucles châtaines et les remis en place. La seule chose en mon père qui ressemblât à l'homme dont je gardais le souvenir était cette chevelure épaisse, bouclée, châtaine, sans un poil gris, bien qu'il eût passé la cinquantaine.

Mes yeux étaient du même ton noisette, et entourés des mêmes cils noirs. Mais, là se terminait ma ressemblance avec mon père. Pour tout le reste, j'avais hérité de ma mère. J'étais petite, avec une ossature délicate et ce qu'une de mes camarades de chambre appelait « un visage triangulaire de chatte ». Dans ma voiture arrêtée sous les arbres gigantesques, j'ouvris mon sac et en tirai la dernière lettre de Terry.

Nous nous étions liées dès notre première année de collège, une semaine après la rentrée. J'avais été intéressée par ses origines louisianaises, et elle s'était un peu raccrochée à moi parce qu'elle avait le mal du pays et qu'elle était contente de savoir que ma mère venait de sa petite patrie.

— Comment s'appelait-elle ? me demandat-elle, avec un accent plus traditionnellement sudiste, moins français que celui de ma mère, à ce qu'il me semblait.

— Le Vaux, dis-je. Giselle Le Vaux.

Thérèse sourit.

— Ah ! alors, c'était une Cajun authentique. Il y a beaucoup de Le Vaux, là-bas, dans la région des bayous.

— C'est ce qu'elle m'a dit.

— Es-tu allée au pays ?

— Non, fis-je, hochant la tête. Mais j'irai là-bas un jour.

— Tu viendras chez moi, dit Terry, qui ne faisait pas mentir la réputation de la généreuse hospitalité sudiste. Nous rechercherons ensemble les gens de ta famille.

Et c'est ce que j'avais fait. Mais je n'avais retrouvé, comme cousins qui avaient pu connaître ma mère, que quelques vieilles dames assises devant leur maison, dans leur véranda, qui s'éventaient avec des feuilles de palmier et qui parlaient dans le patois particulier des Cajuns ; et Terry, élevée à La Nouvelle-Orléans, ne parlait pas cajun !

Je dépliai sa lettre et relus les phrases dans lesquelles Terry essayait de me communiquer un peu de son expérience d'institutrice de grande maison :

Fais bien préciser, dès le départ, ce que seront tes heures de liberté. Et, crois-moi, tu en auras besoin. Ensuite, tiens bon pour les faire respecter, quoi qu'il arrive, même si tu n'as rien à en faire.

N'oublie pas de te répéter constamment que nous ne sommes plus en 1850 et que tu n'es pas Jane Eyre, qu'on avait engagée pour vingt-quatre heures par jour et vingt livres par an. Si tu ne te le rappelles pas toi-même, personne d'autre ne le fera pour toi.

Je repliai la lettre et restai un moment songeuse avant de me décider à la ranger dans mon sac. Quelque part sur ma gauche, un oiseau s'envola d'un buisson avec un cri sauvage.

Selon nos arrangements, je devais arriver à l'île Darcourt à six heures et demie du soir. Il était maintenant cinq heures moins le quart — grand temps que je reprisse ma route. Pourtant, je restais immobile. Je savais parfaitement que ma répugnance à aller plus loin venait de ce que j'avais conscience d'avoir atteint le point de non-retour : une fois arrivée au bout de la chaussée, je serais engagée. Engagée, parce que j'aurais pénétré sous une fausse identité dans la demeure bien gardée d'une famille qui s'était servie de sa fortune considérable pour cacher quelque chose. Quoi ? je ne le savais pas.

Mais, ce que je savais — ou dont j'étais raisonnablement sûre —, c'était que, d'une façon ou d'une autre, le secret de cette famille concernait **ma mère.**

Comme je l'ai dit, ma mère m'avait toujours fait l'effet d'être curieusement lointaine. Mais, durant sa dernière maladie, ce mur sans faille derrière lequel elle semblait se retrancher parut se fissurer. Comme nous ne pouvions pas nous permettre de payer des infirmières à longueur de journée, nous nous succédions à son chevet, mon père et moi, à l'hôpital, quand l'infirmière privée l'avait quittée. Ce fut durant ces heures de garde que j'entendis pour la première fois le nom de Tristan Darcourt. Mère n'était pas vraiment inconsciente, mais elle divaguait. Une fois, elle m'appela « Sis » [1], ce qui m'intrigua, car elle n'avait pas de sœur.

— Sœur qui ? demandai-je machinalement.

Ma mère tourna ses yeux noirs vers moi.

— Mère ? insistai-je.

Je lui pris la main, sa main si frêle.

— Tu verras, tout s'arrangera, dis-je, sans trop savoir ce que c'était que ce « tout », simplement mue par l'idée de dissiper cette appréhension que je lisais dans son regard.

— Sis ? murmura-t-elle. J'ai essayé, mais il a quand même tout découvert. Et c'est à ce moment-là qu'il...

Puis ses yeux s'éclaircirent, changèrent d'expression.

— C'est toi, Sally-Marie ? Que fais-tu ici ?

Sa main fine se referma sur la mienne.

— Qu'ai-je dit ?

— Rien, mère. Rien du tout !

---

(1) Abréviation de *sister* : sœur.

La tête de ma mère se souleva de l'oreiller. Ses yeux se tournèrent vers moi.

— Tu en es sûre ?

— Tout à fait, dis-je aussi calmement que je le pus, malgré les battements de mon cœur.

La tête de ma mère retomba sur l'oreiller. Ses yeux glissèrent, derrière moi, vers la fenêtre, puis se refermèrent. Elle dérivait à nouveau dans le sommeil. Lentement, je lâchai sa main. Pendant quelques minutes, je regardai son visage, cette peau fine, pâle, ses traits amaigris. Puis, je m'adossai de nouveau à ma chaise et me retournai vers le paravent que les religieuses avaient disposé autour du lit.

Combien de temps se passa ainsi, je ne pourrais le dire ; soudain, je me retournai. Ma mère avait les yeux ouverts et me regardait. Je me penchai en avant, pour le cas où elle voudrait quelque chose.

— Tristan ! dit-elle.

Je restai absolument immobile.

— Vous avez peur, comme tous les autres, murmura-t-elle.

Refoulant mes scrupules, je demandai, d'une voix étranglée :

— Tristan qui ?

Ses yeux revinrent vers moi.

— Eh bien, je te l'ai dit, Sis : Tristan Darcourt !

Ce n'est pas ce nom de Tristan Darcourt qui me poussa à aller plus loin ; ce fut le « Sis ».

— Mère...

Mais, à ce moment-là, je devinai la présence de mon père.

— Qu'y a-t-il ? demanda-t-il, penché sur le lit, de l'autre côté.

Ses mots pénétrèrent le brouillard qui entourait ma mère comme ma voix ne l'avait pas fait. Elle lui sourit.

Je me glissai de ma chaise et sortis de la salle : je ne tenais pas à ce que père me harcelât de questions interminables sur ce que ma mère avait dit comme si j'avais pris avantage de sa faiblesse pour l'interroger moi-même.

— Pourquoi mère ne parle-t-elle jamais de sa famille ? lui avais-je demandé, un jour.

— Pourquoi le ferait-elle ? Dis donc, tu n'es pas allée l'ennuyer avec de sottes questions, Sally ?

— Je ne vois pas pourquoi elles seraient sottes. Toutes les filles, en classe, parlent de leur famille, de leurs cousins, et tout. Pourquoi n'en parlerais-je pas, moi ?

— Parce que tu n'en as pas. Mon seul frère a été tué. Je te l'ai dit. Et mes parents sont morts.

— Je ne parle pas de la famille de ton côté, père. Mais, du côté de mère...

— Je te l'ai dit, elle n'a pas de famille. Pas de famille proche en tout cas.

— Mais...

— Et je ne veux pas que tu l'ennuies avec tes bêtises. Tu m'entends, Sally ?

Ce soir-là, quand mon père rentra de l'hôpital, il vint à la cuisine où je m'affairais à préparer le dîner.

— Que te racontait ta mère ? demanda-t-il
aussitôt.

— Elle m'appelait « Sis », dis-je, levant les
yeux vers lui. Je croyais qu'elle était fille
unique ?

Il y eut une seconde de silence. Le visage
bourru de mon père paraissait tendu.

— Elle était fille unique, dit-il enfin. Tu ne
sais donc pas que, dans le Sud les filles s'appel-
lent toutes « Sis », entre elles ? Elle t'a sans
doute confondue avec une de ses anciennes
amies.

Il posa sa musette et son casque.

— J'ai une faim de loup, ajouta-t-il. Qu'y a-
t-il pour dîner ?

— Je ne crois pas qu'elle me prenait pour
une amie, père. Il m'a semblé qu'il y avait quelque chose de drôle...

Je n'eus pas le temps d'aller plus loin :
mon père explosait. Je l'adorais, et je savais
parfaitement que sa rage était due davantage
au souci qu'il se faisait pour ma mère qu'à ce
que j'avais pu lui dire.

J'allai m'enfermer dans ma chambre, claquant la porte derrière moi. J'avais hérité le
caractère emporté de mon père, et aussi de sa
fierté. Je ne voulais pas lui laisser voir à quel
point il m'avait blessée.

Mais, au bout d'un moment, je ne pus supporter l'idée de le savoir tout seul à la cuisine,

incapable de se faire cuire un œuf à la coque.
Le menton levé, affichant une expression hau-
taine, je retournai à la cuisine et achevai de
préparer le dîner.

Nous nous assîmes sans mot dire à la table
de la cuisine et nous mangeâmes en silence. Au
bout d'une demi-heure environ, mon père déclara :

— Excuse-moi, mon petit. C'est que je me
fais du souci pour ta mère.

— Puis-je te poser une question, simplement ? demandai-je.

Il me regarda, méfiant.

— Qu'est-ce que tu veux savoir ?

— Mère a parlé d'un Tristan Darcourt. Qui
était-ce ?

Ce n'était pas la question qui me tenait le
plus à cœur, mais du moins, ne s'agissait-il pas
de quelqu'un de la famille.

— C'est la seule personne à laquelle le mot
de voyou puisse s'appliquer.

— Oui, peut-être ; mais, qui était-ce ?

Mon père me fixa d'un œil sombre.

— L'homme que ta mère a failli épouser.
Ils étaient fiancés. Il a rompu leurs fiançailles.

— Pourquoi ?

— Je te l'ai dit. Parce que c'était un ban-
dit. Et tu ne tireras rien d'autre de moi, malgré
tes façons sournoises et astucieuses.

Je ne saurai jamais s'il avait eu l'intention
de m'en dire davantage un jour. Ma mère mou-
rut la semaine suivante. Trois ans plus tard —

j'avais quinze ans —, mon père se tua acciden-
tellement sur un de ses propres chantiers.

Bien entendu, j'avais cherché le nom de
Tristan Darcourt dans tous les ouvrages de
référence sur lesquels j'avais pu mettre la main,
immédiatement après la mort de ma mère, et
j'avais trouvé fort peu d'éclaircissements sur
l'homme lui-même, sans parler bien entendu de
ses vilenies supposées.

J'appris que la famille Darcourt — le nom,
à l'origine, s'écrivait « d'Harcourt » — était
venue aux colonies sous Charles II et avait reçu
du roi, en toute propriété, l'île sur laquelle elle
habitait maintenant. Il y avait eu un Tristan
Darcourt à presque toutes les générations, et
l'un d'eux, dans un mouvement démocratique,
avait abandonné la particule. La famille avait
également acquis des terres sur le continent,
en Caroline du Sud et en Louisiane.

Le frère aîné de l'actuel Tristan Darcourt,
Robert Darcourt, était mort dans un accident de
cheval. Tristan, né en 1927, était diplômé de
l'Ecole navale d'Annapolis et avait épousé une
certaine Nicole Charpentier en 1951. Leur fille,
Alix, était née en 1960. Je trouvai tout cela pas-
sionnant, bien éloigné de mon cadre de vie
très humble. Naturellement, le mystère qui avait
entouré ma mère s'en trouvait en quelque sorte
renforcé.

Je n'en appris pas davantage cependant.

J'avais entendu parler de la nomination
éventuelle de Darcourt à la présidence de la
C.E.M. — la Commission de l'énergie mon-

diale. Mon intérêt ancien se réveilla, doublé d'un désir de vengeance. Un jour, par un pur hasard, je reçus une des lettres que Terry m'écrivait périodiquement de France, où elle améliorait son français et se faisait de nouvelles relations en apprenant l'anglais aux enfants d'une famille riche.

Et j'eus la grande idée de me servir de son nom et de ses références pour m'introduire dans la forteresse Darcourt, là où tous les autres avaient échoué.

C'était ainsi que j'avais fini par me trouver sur cette bande de terres marécageuses, dans ce silence rompu maintenant par les cris vespéraux des oiseaux sauvages.

Je repris ma route vers le centre de l'île Saint-Damien.

Les instructions que j'avais reçues dans la dernière lettre de Mme Conyers étaient simples : *Suivez la route de la côte sud jusqu'au bout. Vous trouverez là une jetée et un garage. Mettez votre voiture au garage — un employé vous l'ouvrira. On vous conduira à l'île Darcourt.*

J'aurais donc dû prendre immédiatement la route de la côte sud, que j'avais repérée sur ma droite en arrivant dans l'île mais j'avais été incapable de résister à la tentation de continuer tout droit jusqu'au centre de l'île.

J'envisageais de faire demi-tour quand je

vis un jeune homme arriver en moto. J'attendis qu'il fût à mon niveau et lui criai :

— S'il vous plaît, comment puis-je rejoindre
la route de la côte sud pour me rendre à l'île
Darcourt ?

Il posa une de ses longues jambes par terre
et s'arrêta. Il avait des cheveux blonds, raides,
rejetés en arrière, avec un cran sur le devant,
un front proéminent et des yeux verts qui me
considéraient d'un air bizarre. Je fus étonnée
de l'impression d'hostilité qui se dégageait de
ce jeune homme.

L'impression était si forte, si déconcertante,
qu'au lieu de répéter ma question, je demandai
malgré moi :

— Qu'y a-t-il ?

Du coup, il bougea. Il baissa les yeux sur
son guidon et tripota des manettes.

— Rien, fit-il.

Puis, il releva la tête et me regarda. Il pouvait avoir de vingt à trente ans ; je n'aurais pas
su préciser.

Ce fut Susie qui, par son grondement, brisa
la tension.

— Eh bien, c'est un joli petit chien, que
vous avez là ! Mais, que désiriez-vous, madame ?

— Je demandais simplement s'il y avait,
d'ici, un moyen de rejoindre directement la
route de la côte sud.

— Allez jusqu'à ces maisons que vous voyez
là-bas, puis tournez à droite. Il y a un chemin
— pas très bon mais carrossable. Il vous ramè-
nera à la route de la côte.

Il posa le pied sur une pédale.

— Vous pourrez mettre votre voiture au garage là-bas. Mais, j'imagine que vous êtes au courant.

A nouveau cette hostilité manifeste.

— Que voulez-vous dire ?

— Ils ne vous ont pas prévenue ? Le patron ne veut pas d'autos dans l'île Darcourt, en dehors de sa vieille jeep et des voitures de la famille ou de privilégiés comme le médecin et le curé.

Il y avait une sorte d'ironie coléreuse dans la façon dont il avait dit : le patron.

— Comment savez-vous que c'est là que je vais ?

Il se mit à rire, d'un rire froid, qui n'éclairait pas ses yeux verts.

— Tout le monde dans l'île sait où vous allez.

Sans me laisser le temps de dire un mot, il appuya sur la pédale. Le moteur rugit, la moto démarra.

— Etrange ! marmonnai-je.

Quelques instants plus tard, je tournai à l'endroit indiqué. Je constatai que le jeune homme déplaisant n'avait pas menti : ce chemin n'était pas bon. Je sentais mes pneus déraper dans la boue que je faisais gicler au passage. Je n'avais jamais vu autant d'oiseaux. Sur ma droite, j'assistais à l'un des plus admirables couchers de soleil que j'eusse vus. Le disque, déjà coupé en deux par l'horizon, était rouge sang, et ses rayons ardents teignaient un ciel mêlé de gris et d'or. J'en étais là de ma contemplation quand je sentis l'auto frémir, comme si le sol bougeait sous elle. Dans un éclair de lucidité rétrospective, je compris que le jeune homme m'avait indiqué délibérément ce chemin, sachant que le terrain marécageux ne supporterait pas le poids de la voiture et que je resterais là, embourbée, prise par l'obscurité.

— Petit voyou ! marmonnai-je. Si jamais je le retrouve...

Là-dessus, presque d'instinct, j'appuyai sur l'accélérateur. Chassant l'eau sale de chaque côté, l'auto bondit en avant.

— Tiens bon, Susie ! dis-je, cramponnée au volant.

J'apercevais la route de la côte, pas très loin devant moi. Quelques minutes plus tard, l'auto quitta le terrain marécageux et se retrouva sur la chaussée goudronnée.

Il faisait complètement nuit maintenant. J'allumai les phares et poursuivis ma route. Celle-ci s'élargit brusquement sur la gauche. Je vis devant moi une jetée, un bâtiment sombre, un lampadaire allumé et, luisant sous la lune, l'Océan.

Je roulai jusqu'à la jetée et m'arrêtai. Un homme, grand, en vêtements de travail et botté, qui paraissait attendre à côté de la jetée, s'approcha de la portière.

— Mademoiselle Le Breton ?

Je m'étais promis de faire bien attention de répondre au nom de Thérèse, me doutant bien que je risquais de n'y pas prendre garde, les premières fois. Mais, mon aventure avec le jeune homme et dans le chemin marécageux m'avait secouée. Je restai peut-être cinq secondes complètement perdue, muette.

L'homme se rapprocha encore.

— Mademoiselle Le Breton ? répéta-t-il, d'une voix plus insistante.

— Oui. Excusez-moi...

— Quelque chose qui ne va pas ?

Il s'était penché vers la glace, m'offrant, sous la lumière du lampadaire, le visage d'un homme déjà âgé.

— J'ai failli m'enliser dans la boue. Je suis arrivée par un chemin de traverse, là-bas.

— Madame Conyers ne vous avait donc pas dit de prendre sur votre droite en arrivant dans l'île ?

— Si, mais j'ai oublié, et je me suis retrouvée au milieu de l'île avant de me rendre compte de mon erreur.

— Ce chemin-là n'est pas fait pour les voitures. Comment avez-vous eu l'idée de passer par là ?

J'hésitai.

— J'ai demandé à un jeune homme comment rejoindre la route de la côte sud. Il m'a dit de rouler jusqu'aux dernières maisons, puis de prendre, à droite, le chemin que je trouverais là ; qu'il n'était pas très bon mais carrossable.

— Comment était-il ce jeune homme ? demanda-t-il, fronçant les sourcils.

— Un blond, avec un cran sur le devant. Il était à moto. Pourquoi ?

Je l'entendis bougonner quelque chose d'indistinct, puis il se redressa.

— Je vais ouvrir la porte du garage, dit-il, et je porterai vos valises dans le bateau. Qu'allez-vous faire de ce chien ?

— Je l'emmènerai avec moi, naturellement.

— Ils n'aiment pas les chiens des autres, dans l'île.

— C'est fort regrettable, dis-je, du ton le plus pincé que je pus prendre. Ma chienne m'accompagne.

— Les gros chiens de garde qu'ils ont dans l'île ne feront qu'une bouchée d'elle.

Susie avait été le dernier cadeau d'anniversaire de mon père.

— Il faudra qu'ils me dévorent d'abord, répliquai-je. Et, si les Darcourt trouvent à redire à mon chien, ils pourront se chercher une autre institutrice.

Il haussa les épaules et se dirigea vers le bâtiment, fermé au rez-de-chaussée par une grande porte de garage. Il glissa une clef dans la serrure du bas, se redressa et releva la porte.

— Vous pouvez vous garer à l'intérieur.

Je rangeai ma voiture et descendis. Je sortis Susie, ma machine à écrire et mes valises de la voiture.

— Puis-je avoir une clef du garage pour sortir ma voiture éventuellement ?

L'homme abaissa la porte, referma la serrure, puis se redressa et mit la clef dans sa poche.

— Vous n'avez pas besoin de clef, fit-il remarquer : vous n'avez qu'à m'appeler.

— Mais, si j'ai besoin du véhicule à un moment où vous n'êtes pas là ?

— Je suis toujours de service. Vingt-quatre heures sur vingt-quatre.

Cela ne me plaisait pas beaucoup.

J'avais bien envie de remettre cet homme à sa place. Mais, pour déplaisant qu'il me parût, il obéissait certainement à des ordres. Le litige — s'il y avait vraiment litige — serait à trancher avec la famille ou avec Mme Conyers, qui avait signé toutes les lettres que j'avais reçues.

— La famille est-elle actuellement dans l'île ? demandai-je, étonnée moi-même de ma discrétion.

— Vous le verrez vous-même quand vous y serez, pas vrai ? Le bateau est là.

Le bateau était un dinghy équipé d'un moteur qui marchait à bonne allure.

— L'île est-elle éloignée ? demandai-je.

— Quatre milles [1] de Saint-Damien.

— C'est plus loin que je ne pensais.

Je regardai les reflets de la lune sur la mer. Puis je me retournai. L'île Saint-Damien paraissait déjà étonnamment loin derrière nous, dans le noir. Au bout de quelques minutes, je sentis que le bateau montait et descendait sur une

---

(1) Ici, il s'agit du mille nautique : 1 852 mètres.

houle plus profonde. J'oubliai ma résolution de garder le silence.

— Y a-t-il un chenal, ou quelque chose de ce genre ? J'ai l'impression que les vagues sont plus fortes.

— C'est que nous ne sommes plus protégés par l'île ici. Nous sommes carrément sur l'Océan. L'appontement se trouve du côté de la haute mer.

— Pourquoi donc ? demandai-je, surprise. Quelle idée de ne pas l'avoir mis plutôt du côté abrité ?

— Demandez-leur quand vous serez là-bas.

— D'accord, je le leur demanderai. Et je leur demanderai aussi pourquoi vous me répondez de façon si discourtoise. Vous en a-t-on donné l'ordre, ou êtes-vous simplement un ours ?

Du coup, il ne répondit pas — ce qui n'avait rien d'étonnant. Nous fîmes le reste du voyage en silence, sans aucun autre bruit que celui de l'eau contre le bateau.

Finalement, le dinghy décrivit un grand demi-cercle, et je vis la silhouette de l'île Darcourt se profiler devant nous.

— Mademoiselle Le Breton...

Je sursautai mais, à nouveau, je ne sus pas réagir. Pendant quelques secondes, ce fut comme si cet appel ne me concernait pas. Mon désagréable compagnon fit entendre un rire grinçant.

— C'est drôle, on dirait que vous ne reconnaissez pas votre nom !

Il y eut un long silence. Je me serais battue. Je ne trouvais rien à répondre.

Brusquement, j'eus l'impression que les arbres avançaient vers nous. Je distinguai des lumières.

— Tenez bon, dit le batelier. Nous y sommes.

Il tendit le bras et empoigna un anneau de la jetée. J'aperçus une silhouette, dans l'ombre, au-dessus de moi.

— Mademoiselle Le Breton ? fit une voix féminine, froide. Je suis madame Conyers. Vous êtes très en retard. Nous avions presque renoncé à vous attendre.

CHAPITRE II

Dès que je fus montée sur l'appontement avec mes affaires, je décidai de prendre le taureau par les cornes. J'en avais assez d'être sur la défensive.

— Enchantée, madame Conyers. Votre batelier — excusez-moi, je ne connais pas son nom — m'a dit que vous n'autorisiez pas vos visiteurs à amener leurs chiens dans l'île. Je suis désolée, mais Susie m'a toujours accompagnée partout. J'espère que cela ne fera pas de difficulté ?

— Petersen, le batelier, avait tout à fait raison. Les Darcourt ont leurs chiens à eux, des chiens de garde. Quelqu'un avait introduit un autre chien dans l'île sans nous le dire, un jour : le chien a été tué. J'aurais dû vous le signaler.

Je me baissai et pris ma petite chienne.

— J'aurais dû dire que je l'amènerais... Si vous ne pouvez pas faire pour nous une exception à la règle et apprendre à vos chiens de garde à laisser Susie tranquille, je m'en retournerai immédiatement avec monsieur Petersen. Je tiens beaucoup à Susie et je ne veux pas risquer qu'il lui arrive quelque chose.

Il y eut une autre pause.

— Très bien, reprit la voix froide. Je dirai à l'employé qui s'occupe du chenil de les préparer à faire sa connaissance en même temps que la vôtre. Par ici, je vous prie. Laissez vos valises. Judson les apportera... Vous pouvez vous en retourner, Petersen.

Nous remontâmes la jetée. J'aperçus une jeep garée sur la gauche, derrière des arbres.

— Judson, dit Mme Conyers, vous trouverez des valises, sur la jetée. Apportez-les, voulez-vous ?

Un homme qui attendait derrière la jeep contourna la voiture et passa devant nous. Madame Conyers s'approcha de la jeep.

— Montez, mademoiselle. C'est le seul véhicule à moteur de l'île. Il est rustique mais pas trop inconfortable.

— Après vous, dis-je, lui rendant sa politesse.

Elle hésita puis s'exécuta. Elle était plus grande que moi et vraiment très maigre. Le clair de lune ne donnait pas suffisamment de lumière pour me permettre de bien voir son visage ni d'estimer son âge, mais sa voix indiquait qu'elle n'était plus de la première jeunesse. Elle n'avait pas de manteau, mais elle serrait une sorte de châle autour de ses épaules. Je montai et pris Susie sur mes genoux.

Judson revint et déposa mes valises à côté

de lui. Puis, il se mit au volant, et la jeep démarra.

Je ne m'étais pas attendue à faire une aussi longue route. Nous roulions au milieu d'arbres gigantesques. L'odeur du marécage n'était pas aussi forte que sur Saint-Damien, mais on la distinguait tout de même, sous un arôme puissant et doux que je ne connaissais pas.

— Qu'est-ce que cette odeur sucrée qui semble nous suivre ? demandai-je.

— Celle des osmanthes [1].

— Elle est très forte..., commençai-je.

Mais, je m'arrêtai net, le souffle coupé.

La jeep venait de sortir du couvert des arbres. La lune, à son premier quartier, éclairait directement la propriété et les pelouses qui s'étendaient devant elle sur une superficie impressionnante.

La maison, bâtie dans la tradition de la Louisiane, était entièrement entourée, à mi-hauteur, par un balcon analogue à ceux que j'avais vus dans beaucoup de plantations, en bordure du fleuve, aux environs de La Nouvelle-Orléans. Des ailes avaient été ajoutées au bâtiment initial, rectangulaire.

Derrière la maison et tout autour des pelouses, des chênes énormes, ornés de ces dentelles de mousse qui semblaient couler de leurs branches, complétaient le tableau.

-----

(1) Les petites fleurs blanches de cette plante permettent aux Chinois de parfumer leur thé.

— C'est magnifique, dis-je, impressionnée. La propriété porte-t-elle un nom ?

— *Darcourt Place*.

— Elle est ancienne ?

— Elle a été construite après la guerre de Sécession pour remplacer une maison plus ancienne qui avait été détruite par un incendie.

— Y a-t-il beaucoup de terrain derrière, ou l'autre façade donne-t-elle directement sur l'Océan ?

— Non. L'île est très longue et assez large. Il y a plus de terrain derrière la maison que devant, mais il est presque entièrement couvert de bois et de marécages. Des jardiniers s'en occupent. Aucun de ceux qui habitent la maison n'y pénètre.

Elle disait cela comme pour me faire comprendre que c'était une règle à laquelle je devrais obéir. Instinctivement rebelle à toute autorité, je sentis que je me rebiffais et je pris sur moi pour ne pas lâcher quelque impertinence.

J'avais pris position fermement pour Susie et cela devait suffire, au moins pour le moment. Terry pouvait bien raconter que je devais m'imposer dès le départ, faire reconnaître, par exemple, mes heures de liberté, elle eût été la première à me rappeler qu'une institutrice privée, même de naturel indépendant, ne se comporte pas avec la liberté d'une journaliste.

Je devrais donc prendre garde à tout ce que je ferais ou dirais. C'était une perspective peu réjouissante.

La porte d'entrée était surélevée de quelques marches. Sur le seuil, un homme nous avait guettés. Il était grand et fort, vêtu comme un maître d'hôtel. Quand la jeep s'arrêta, il s'approcha.

— Voici mademoiselle Le Breton, Stevens, dit ma voisine. Voulez-vous vous occuper de ses bagages, je vous prie ?

— Bonjour, ma'ame. Bienvenue à vous.

Je souris. Après la sécheresse de Petersen et de Mme Conyers, son accueil plaisant était doublement agréable. Son « ma'ame » était bien la forme de politesse courante dans le Sud.

— Merci, dis-je. J'ai l'impression que vous pourriez bien être originaire de... de Nouvelle-Angleterre ?

Je m'étais reprise à temps. J'avais failli dire : « Originaire de chez moi. » Attention ! Prudence ! Je m'effrayais de voir comme j'oubliais facilement le rôle que je devais assumer.

— Vous aussi, mademoiselle, dit-il, retirant mes bagages de la voiture. Vous avez dû passer quelque temps là-haut.

Je m'étais préparée à mentir sur ce point. Le moment était bien choisi pour faire savoir ce que j'avais à dire.

— J'y suis allée à l'école, et on s'y est tellement moqué de mon accent du Sud que j'ai pris des leçons de diction pour me le faire passer.

C'était une bonne explication, véridique, d'ailleurs, jusqu'à un certain point : Terry avait effectivement essayé de se débarrasser ainsi de son accent du pays des magnolias.

— Stevens, dit Mme Conyers, mademoiselle Le Breton a amené son petit chien.

Il y eut une courte pause. J'avais gardé Susie dans mes bras. Je me baissais pour la déposer dans l'allée, devant le perron, quand des aboiements frénétiques retentirent soudain, derrière la maison. Je me redressai vite.

— Madame Conyers..., commençai-je.

Horrifiée, j'entendis le bruit se rapprocher dangereusement. Je serrai Susie contre moi et me retournai vers la gouvernante.

— S'il vous plaît, madame Conyers, faites comprendre aux chiens qu'ils doivent nous laisser tranquilles.

Je m'étais exprimée aussi calmement que je le pouvais, mais j'avais peur. Dans la lumière diffuse qui venait par les portes et les fenêtres de la maison, le visage de la gouvernante m'apparut, blafard, sans aucune expression. Mais elle devait tout de même éprouver une certaine émotion : cela s'entendit à sa voix, qui retrouvait des intonations évocatrices de ses origines écossaises :

— Vous n'auriez pas dû amener votre chien, dit-elle.

Elle s'écarta tout de même pour aller crier à quelqu'un :

— Norton ! Venez tout de suite arrêter les chiens !

A ce moment-là, une énorme forme noire et fauve fila dans la lumière et s'élança sur moi.

— Couché, Ranton !

La voix profonde, sèche, incisive, venait du coin de la maison. Le grand chien, un doberman, s'arrêta net, ses babines retroussées découvrant des crocs qui me paraissaient terriblement longs.

— Tranquilles, tous ! Silence, Ringwood ! Silence, Ruby, Bellman, True !

Les aboiements et les grondements qui venaient des animaux encore cachés par la maison s'arrêtèrent. Contournant le porche, un homme apparut. Il avait de larges épaules. Il était en culotte de cheval et en bottes.

Autour de lui, je vis un autre doberman, deux bergers allemands et un grand danois. L'homme s'arrêta de l'autre côté du porche. Son visage était toujours dans l'ombre.

— Veuillez rassurer vos gardes du corps, bougonnai-je.

— Ce n'est pas à vous qu'ils en ont, mademoiselle ; c'est à votre chien, dont l'arrivée n'était pas prévue. Vous n'auriez pas dû l'amener ici sans avoir au moins la courtoisie de nous en demander l'autorisation.

Il avait raison, bien entendu, encore qu'il eût pu, peut-être, faire valoir ses arguments avec plus de tact.

— Vous avez raison, dis-je. Je n'aurais pas dû amener Susie sans vous le dire. Enfin, je vous présente mes excuses. A qui ai-je l'honneur de parler ?

— Je suis Tristan Darcourt.

Je m'en étais doutée. Et l'arrogance calme

avec laquelle il prononçait son nom me paraissait bien correspondre au personnage que j'avais imaginé. Cette manière féodale qu'il avait de partir de l'idée que tout et tout le monde lui appartenait dans l'île enflamma la révolte que je ressens instinctivement devant l'autorité sous toutes ses formes. Je compris immédiatement que j'allais avoir quelques difficultés.

— Je vois, dis-je. Bonjour, monsieur Darcourt. Comme je le disais, j'aurais dû vous prévenir que j'allais amener Susie...

Ma voix tomba. Je ne parvenais pas à trouver d'autres excuses. Je repris ma respiration.

— Mais, je puis vous assurer que Susie est tout à fait inoffensive, dis-je. Si je m'étais rendu compte...

Il m'interrompit :

— Si vous estimez que vous ne pouvez pas vous plier à nos manières de vivre, mademoiselle Le Breton, vous êtes parfaitement libre de vous en aller. Judson vous raccompagnera à la jetée et téléphonera à Petersen qui viendra vous reprendre.

Je me mis à rire.

— Cela vous fait rire, mademoiselle Le Breton ?

— Oui. Excusez-moi. C'est simplement que je me suis rappelé quelque chose que mon père disait...

— Curieux ! dit la voix de Mme Conyers derrière moi. Etant donné que vous aviez trois ans quand votre père est mort.

J'avais vraiment le chic pour aller au-devant

des ennuis ! Encore un peu, et je trouverais le moyen de me démasquer moi-même, pensai-je sombrement. Dans ces conditions, peut-être ferais-je aussi bien de profiter de l'invitation de Darcourt et de m'en aller immédiatement ? Mais, si je cédais à ce mouvement de panique, je demeurerais à jamais dans l'ignorance de ce qui avait assombri la vie de ma mère. Je repris ma respiration et me lançai.

— C'est exact, dis-je. Mais, si je n'ai, en fait, jamais connu personnellement mon père, ma mère était bien décidée à entretenir son souvenir et à me transmettre son héritage spirituel. Elle le citait constamment. Je ne me suis jamais séparée de ma chienne et si elle risque d'être attaquée par vos chiens, je m'en irai.

— Elle sera en parfaite sécurité. Il suffit d'apprendre à nos chiens de garde qu'ils doivent la laisser tranquille. Amenez-la ici.

Je regardai les mâchoires immenses des cinq grosses bêtes.

— Elle... Il se peut qu'elle aboie, dis-je, hésitante.

— Très probablement. Mais, cela n'a aucune importance. Venez !

Il avança lui-même. Je vis un nez aquilin, des yeux creux et des cheveux noirs semés de gris. Il avait des épaules massives, puissantes.

— Donnez-la-moi ! dit-il.

Je ne bougeai pas. Il me prit alors Susie des bras.

— Susie..., balbutiai-je.

— Elle ne craint rien, coupa-t-il.

Puis, il baissa les yeux sur elle et lui gratta le menton. Sans mot dire, je regardai Darcourt l'emporter.

— Ruby, Ranton, Ringwood, Bellman, True, ici !

Les cinq chiens avancèrent.

— Je vous présente Susie, dit Darcourt. Vous la garderez.

A ma grande horreur, il déposa Susie à terre. La chienne aboya une fois et s'assit sur son derrière. Les gros chiens avancèrent, se baissèrent, reniflèrent.

— Rappelez-la maintenant, me dit Darcourt.

— Susie ! dis-je.

Elle ne bougea pas.

— Susie ! appelai-je plus sèchement.

— Très bien dressée ! apprécia Darcourt.

— Je n'ai jamais été en faveur de l'obéissance militaire.

— C'est ce que je vois.

Il se baissa, la récupéra et la déposa dans mes bras.

— Tenez, fit-il. Maintenant, allez-y vous-même. On leur a déjà donné votre lettre à flairer pour qu'ils vous reconnaissent à votre arrivée.

Je m'approchai des cinq chiens, qui procédèrent à leur flair rituel.

— Ils vous connaissent maintenant, me dit mon hôte. Tant que vous vous tiendrez à l'intérieur des frontières fixées, non seulement ils ne vous attaqueront pas, mais ils vous défendront contre tout agresseur éventuel. Mais, ne franchissez pas la clôture.

— Quelle clôture ? demandai-je, fronçant les sourcils.

— Celle qui divise l'île en deux. De ce côté, vous êtes libre de vous promener à votre guise. Mais n'allez pas de l'autre côté. Essayez de réfréner vos velléités de rébellion...

Il avait dit cette dernière phrase un peu sèchement. Il s'interrompit et ajouta, plus sèchement encore :

— Vous aurez déjà beaucoup à faire pour calmer celles d'Alix.

— Oui, monsieur Darcourt, dis-je de mon meilleur ton d'employée de maison.

Il passa devant moi, retourna vers les chiens et alla jusqu'au bout de la maison d'où il était venu. Je remarquai qu'il boitait. Arrivé près de la maison, il se retourna pour me regarder.

— Et n'exagérez pas ! ajouta-t-il : la civilité, oui ; la servilité, non !

J'ouvrais déjà la bouche pour lui dire que j'étais ravie de savoir qu'il reconnaissait la différence, mais je la refermai sans rien dire. Il m'observait.

— Je m'en vais ce soir et je resterai quelque temps absent. Je vous dis donc au revoir pour le moment.

Là-dessus, il disparut.

— Par ici, mademoiselle Le Breton.

C'était Mme Conyers. Elle monta le perron vers la porte ouverte de la maison, et je la suivis. J'eus l'impression d'une immensité de par-

quet couvert de tapis d'Orient, de lumières dou-
ces reflétées dans les meubles, d'un parfum
suave.

L'escalier, large et ciré, avec un tapis rouge
foncé au milieu, était sur la droite. A gauche,
je vis une enfilade de portes, et, au bout du
hall — très long —, une porte analogue à celle
de l'entrée. Un lustre de Venise, certainement
très ancien, et de nombreuses appliques éclai-
raient le tout.

— Par ici, mademoiselle Le Breton, dit
Mme Conyers.

Je me dirigeai vers l'escalier, Susie toujours
dans mes bras. Arrivée sur le palier du premier, je posai la chienne par terre et suivis la
gouvernante dans le couloir.

La chambre, dans laquelle elle me fit entrer,
était grande et carrée, avec des fenêtres sur
deux côtés. Un énorme lit à colonnes garnissait
un des murs.

— Le dîner sera servi dans une demi-heure,
me dit Mme Conyers. Inutile de prendre la peine
de vous changer ce soir. La salle de bains est là,
derrière cette porte. Le dîner sera annoncé par
le gong.

Elle se préparait à s'en aller. Comme elle
arrivait à la porte, je l'appelai :

— Un instant, s'il vous plaît...

— Oui ? fit-elle, se retournant.

— Quand ferai-je la connaissance d'Alix ?

— Au dîner..., si du moins Norton et monsieur Darcourt parviennent à la retrouver. Vous
deviez arriver ce soir à six heures et demie,

voyez-vous, et elle vous attendait. Mais, elle
est... elle a une nature un peu impatiente.
Comme vous le savez, — je vous l'ai indiqué
dans ma lettre, — elle nous pose des problèmes.
Si j'ai pu paraître... sévère... quand vous êtes
arrivée, c'est parce que, après avoir attendu une
demi-heure, elle s'était sauvée.

— Pourquoi se sauve-t-elle ainsi ? demandai-je.

Etait-ce le doute, la pitié, l'irritation qui
apparurent sur le visage de Mme Conyers ? La
peur aussi, peut-être ?

— Je vous l'ai dit dans ma lettre, mademoiselle Le Breton. Elle a des problèmes.

— Mais, vous ne m'avez pas dit ce que
c'était ?

— Vous ne croyez pas qu'il vaudrait mieux
que vous vous en assuriez vous-même ? Que
vous fassiez la connaissance de la petite avec
un esprit libre de tout parti pris ?

Elle avait tout à fait raison. J'acquiesçai
donc. Mais, une autre question me préoccupait.
J'avais eu amplement la preuve que les Darcourt et leurs gens n'aimaient pas les questions
personnelles. Et pourtant — ils n'en savaient
rien, bien entendu —, j'étais justement là pour
en poser. D'un air aussi négligent que possible,
je demandai :

— Madame Darcourt est-elle ici ? Lui serai-
je présentée ?

Je m'attendais à la réponse :

— Madame Darcourt n'est pas ici, dit Mme
Conyers.

— Aurai-je l'occasion de faire sa connaissance ?

— Non, mademoiselle Le Breton. Madame Darcourt passe la plus grande partie de son temps loin d'ici. Avez-vous une raison particulière de poser ces questions ?

Je mentis :

— Non, dis-je.

Je repris ma respiration.

— Si je cherche à me renseigner, c'est simplement en considération du travail que j'aurai à faire auprès d'Alix.

Le visage de Mme Conyers se détendit. La gouvernante prit une longue respiration.

— Bien sûr, dit-elle, s'humanisant un peu. C'est simplement que... Enfin, madame Darcourt a toujours été de santé fragile et elle trouve le climat du midi de la France plus salubre. Monsieur Darcourt et Alix l'y rejoignent quand ils peuvent.

— Oui, dis-je. Je comprends.

A ce moment, le gong résonna.

— Il va falloir que vous vous dépêchiez, dit Mme Conyers. Nous vous attendrons en bas.

Elle s'en alla prestement, refermant la porte derrière elle avec un bruit sec.

Hâtivement, je me lavai le visage et les mains. Je me brossai ensuite les cheveux.

Comme Tristan Darcourt m'avait dit qu'il partait en voyage, je ne m'attendais pas à le revoir, encore moins à le trouver au pied de l'escalier.

— Nous vous attendons, mademoiselle Le

Breton. Permettez-moi de vous conduire à la salle à manger.

— Je suis désolée de vous avoir fait attendre, dis-je humblement.

— Cela n'a d'importance que parce que nous n'avons pas encore retrouvé Alix, si bien que nous devrons reprendre nos recherches après le dîner.

Je descendis la dernière marche.

— Par ici, dit-il.

Il tourna à droite dans le hall, au fond duquel une grande glace rectangulaire, dans un cadre doré, nous renvoya, pendant quelques secondes, notre double image. Je remarquai à nouveau ses épaules étrangement massives.

Il me fit passer par la porte voisine de la glace. La salle à manger était une grande pièce carrée, bien éclairée. Le centre en était occupé par une table couverte d'une nappe de lin blanc brodé. Deux fenêtres encadraient une grande cheminée. A l'extrême droite, une double porte était fermée sur le mystère d'autres pièces, sans doute nombreuses.

— Si vous voulez bien vous asseoir, mademoiselle ? dit Darcourt.

Il me précéda en boitillant vers une chaise, à droite du bout de la table. En face de lui se tenait Mme Conyers. Au fond de la pièce, près d'une autre porte, Stevens et une petite femme rousse, vêtue de l'uniforme noir à col blanc des femmes de chambre, attendaient.

Darcourt me tint ma chaise pendant que je m'asseyais, puis il alla lui-même s'asseoir.

— J'avais cru comprendre que vous deviez partir ce soir et que nous ne vous reverrions plus ? demandai-je assez vivement.

— J'en avais eu l'intention, dit-il, dépliant sa serviette. Mais je ne pouvais pas partir tant que nous ne saurions pas où est Alix.

— Et vous n'avez aucune idée de l'endroit où elle se trouve ?

— Pas encore.

Il se pencha de côté pour laisser Stevens déposer une assiette de potage devant lui. Puis, le maître d'hôtel et la femme de chambre nous servirent, Mme Conyers et moi.

— Cela lui arrive-t-il souvent ? demandai-je.

— Oui ; assez souvent, en tout cas, pour que nous ne nous mettions plus dans tous nos états quand cela se produit.

— Les fugues sont fréquentes, chez certains enfants, dis-je, pensant à ma propre expérience et à des orphelins dont j'avais eu la charge. Mais, d'ordinaire, cela veut dire qu'ils ne sont pas heureux.

— Dans le cas d'Alix, cela veut dire simplement qu'elle est désobéissante.

Je sentis la colère me gagner, mais je me contentai de dire, aussi doucement que je le pus :

— Ne croyez-vous pas que, désobéir, c'est une façon de dire qu'on n'est pas heureux ?

— Heureux, malheureux... Ce sont des termes relatifs, mademoiselle Le Breton. Alix s'est trouvée malheureuse, si vous tenez à ce mot, parce que nous avons insisté pour qu'elle soit là au moment où vous deviez arriver. Malheureusement, vous êtes arrivée en retard. Alors, comme elle est agitée — c'est un de ses principaux problèmes : elle ne tient pas en place —, elle a saisi l'occasion de s'enfuir, à un moment où nous ne faisions pas attention à elle.

— Rétive serait peut-être un mot plus juste, dit Mme Conyers, qui parlait pour la première fois.

Je fus frappée de l'attitude de mes deux commensaux. Je n'y distinguais aucune préoccupation véritable pour la jeune fille dont j'allais avoir la charge et dont le sort commençait à m'intéresser. Cet homme glacial, au visage de pierre, qui la traitait de « désobéissante », et la tout aussi sévère Mme Conyers, qui préférait parler de « rétive », devaient être des camarades et des mentors assez austères pour une enfant un tant soit peu vivante.

Dans un tel milieu, j'aurais, moi aussi, profité de toutes les occasions de m'enfuir. Je me demandai à nouveau pourquoi on isolait Alix dans cette maison avec une institutrice privée, au lieu de la mettre dans une école ordinaire. Quels étaient ces « problèmes » auxquels Mme Conyers avait fait allusion dans sa lettre et dans le court entretien que nous avions eu depuis mon arrivée ? Mais, me rappelant la rebuffade que j'avais essuyée quand j'avais voulu l'interroger, je résolus de ne pas leur donner l'occasion de m'en faire subir une autre.

— Mademoiselle Le Breton..., dit Darcourt. Mais, à ce moment, les aboiements des chiens reprirent, créant un tumulte assourdissant. Malgré le feu qui pétillait dans mon dos, je frissonnai.

— Vous vous ferez à ce vacarme, mademoiselle Le Breton, dit le maître de la maison.

Je pris soin de peser ma réponse :

— Peut-être, dis-je. Mais, ce doit être un bruit terrible à entendre derrière soi si jamais les chiens vous poursuivent.

— Heureusement, si vous restez de ce côté-ci de la clôture, vous n'aurez pas à redouter pareille éventualité.

Je brûlai du désir de demander ce qu'il y avait de l'autre côté, mais je résistai à la tentation. Pourtant, je surpris à nouveau le regard ironique.

— Cette clôture, mademoiselle Le Breton, s'explique en particulier par la présence de marais, de l'autre côté. Un être humain pourrait y disparaître sans laisser aucune trace, sans que personne en sache rien.

— Ces marais, ne pourrait-on pas les drainer ? demandai-je, aussi aimablement que je le pus.

— Si, mais ce serait difficile et onéreux. Et cela ferait disparaître une des réserves naturelles d'oiseaux les plus importantes de la côte sud.

— En ce cas...

— A ce moment-là, les aboiements se firent

entendre plus proches de nous, mais ne semblaient plus des cris de fureur.

— Alix ! fit seulement Mme Conyers.

Darcourt leva les yeux. La pièce tout entière sembla s'immobiliser un moment dans l'attente. Stevens lui-même, qui faisait passer un plat de légumes, se figea, à demi penché mais la tête levée.

On entendit des pas. Une porte claqua. Puis, la double porte s'ouvrit très brusquement, et une grande fille blonde apparut sur le seuil, ses longs cheveux clairs emmêlés, son jean couvert de boue — d'une boue qui tachait même, par endroits, son chemisier blanc.

Elle s'écroula sur une chaise.

— Je leur ai échappé ! dit-elle d'un ton dramatique. J'ai échappé à Ranton et à Ringwood, à Bellman et à True. Et à Ruby aussi, bien entendu.

Elle me regarda, comme m'invitant à comprendre quelque chose à demi-mot.

— C'est moi qui les ai baptisés, vous savez ?

Je vis le sourire disparaître du visage de la jeune fille.

— Papa...

— Monte dans ta chambre immédiatement, Alix. J'irai te voir tout à l'heure.

— Mais, papa, fit-elle, d'une voix qui montait dangereusement, j'ai faim !

— Fais ce que je te dis, immédiatement !

Le mot claqua dans la pièce, comme un coup de fouet.

Elle se leva, les yeux brillants. Puis, un sanglot lui échappa, et elle s'en fut rapidement.

— Monsieur Darcourt...

— Asseyez-vous, mademoiselle Le Breton.

— Mais...

— Je ne veux pas qu'on me désobéisse. Personne. Me fais-je bien comprendre ?

Je restai debout là trente bonnes secondes. Il ne s'était pas levé. Il était resté assis à sa place, une main sur la table.

Et, comme je ne répondais pas, il déclara :

— Ou bien vous obéissez à mes ordres, vous aussi, ou bien vous partirez ce soir même. Je n'accepterai pas d'être défié par qui que ce soit dans cette île.

Refoulant un accès de rage, je me rassis parce que, en cet instant, j'avais pris une résolution : même si je devais quitter l'île sans les renseignements que j'étais venue y chercher, je n'en partirais pas avant d'avoir fait ce que je pouvais pour la malheureuse que le destin plaçait sur ma route.

Pour y réussir, il faudrait que je joue la comédie à la perfection. Alors, autant m'y mettre immédiatement.

— Oui, dis-je d'un ton calme et sans trop d'humilité, je vous comprends, monsieur Darcourt. C'est simplement qu'Alix semblait si... bouleversée.

— Nerveuse, suggéra Mme Conyers.

— Comme dit madame Conyers : nerveuse, répéta Darcourt d'une voix plus tranquille. Ce n'est pas bon pour elle, et je ne le tolérerai pas. Stevens, servez un autre morceau de poulet à mademoiselle Le Breton.

CHAPITRE III

Je ne dormis guère, cette nuit-là, dans le grand lit à colonnes. J'étais en proie à un chaos de réflexions et de remords. J'avais une fois de plus foncé, pas exactement en aveugle — je savais ce que j'étais venue chercher à Darcourt —, mais sans réfléchir suffisamment aux moyens d'atteindre mon but. Etourdiment, j'avais assumé la personnalité de Terry sans bien penser à tout ce qu'implique la condition d'institutrice privée.

Ne parvenant pas à dormir, je m'assis dans mon lit, afin de méditer à nouveau sur ce que j'étais venue faire ici.

J'étais venue dans l'île pour découvrir le secret qui avait assombri la vie de ma mère et — éventuellement — les implications de Darcourt dans le boycott du pétrole étranger. Mais, j'avais maintenant un autre motif très fort pour y rester : faire tout ce que je pouvais pour aider Alix Darcourt.

Soudain, ma chienne se redressa, toute droite, face à la porte. Ses oreilles étaient pointées en avant, et un grondement sourd sortait de sa gorge. Il devait y avoir là quelqu'un ou quelque chose.

Je descendis du lit et, pieds nus, en chemise, avançai sur le tapis de Perse. Je m'approchai sans bruit de la porte, posai doucement la main sur le bouton. Puis, avec des précautions infinies, je tournai le bouton et ouvris la porte.

Il n'y avait personne dans le couloir, mais quelqu'un était passé par là, laissant une enveloppe, par terre, juste devant ma porte. Je regardai à droite et à gauche puis, ne voyant personne, pris l'enveloppe et retournai vivement sur le seuil de ma chambre.

C'était une enveloppe usagée, avec un timbre oblitéré mais sans indication d'expéditeur. Je lus : *Madame Tristan Darcourt, Darcourt Place, Ile Darcourt, Caroline du Sud.*

Je restais là à regarder fixement l'enveloppe, me sentant prise d'un étrange malaise.

Soudain, je sursautai : au loin, dans l'aile opposée, on entendait un rire, sardonique, bizarre: Puis, une porte claqua. Derrière moi, j'entendis des gémissements. Je me retournai. Susie regardait le plancher, prête à sauter. Le lit était haut, comme la plupart de ces vieux lits à colonnes. Je rentrai vivement dans la pièce.

— Attends, Susie !

Je la posai à terre. Elle trottina droit vers la porte et s'arrêta sur le seuil, flairant de tous côtés. Puis, elle jeta un aboiement bref. Je me hâtai de la faire taire.

— Chut ! murmurai-je. Tu vas nous faire mettre à la porte !

Tout d'un coup, je me sentais très exposée, seule, en chemise de nuit. Je fermai la porte de ma chambre. Je cherchai la clef : il n'y en avait pas dans la serrure. Je reposai la chienne sur le lit et cherchai la clef dans les tiroirs du bureau. Mais j'eus beau fouiller ces tiroirs, regarder même sous le papier dont on en avait garni le fond ; je ne pus trouver de clef.

Je restai un moment plantée au milieu de la pièce, à réfléchir. Puis, j'eus une idée.

En quelques minutes, je montai un échafaudage composé d'une chaise, dont j'avais coincé le dossier sous le bouton de la porte, d'une ficelle et d'un grand vase de porcelaine particulièrement fragile, placé à l'extrême bord d'une sellette. Si quelqu'un s'avisait d'ouvrir ma porte, il ne pourrait manquer de déplacer la chaise, qui tendrait la ficelle, laquelle entraînerait le vase. Comme le tapis ne couvrait pas le parquet à cet endroit, la porcelaine se casserait certainement et cela me réveillerait.

Assise de nouveau dans mon lit, je repris l'enveloppe, que j'avais posée sur la table de nuit, et l'examinai encore. Je passai la main à l'intérieur pour m'assurer qu'elle était bien vide. Je regardai à nouveau l'adresse. Puis, je vis que la lettre provenait de Columbia, capitale de l'Etat.

Soudain, je sursautai. J'avais supposé qu'il s'agissait d'une vieille enveloppe, qui avait dû être envoyée à *Darcourt Place* quand Mme Dar-

court y résidait. Or, l'oblitération, très nette,
montrait que la lettre avait été expédiée la
semaine précédente.

Le vague malaise, que m'avait laissé cet
incident, s'accroissait. Après avoir encore bien
considéré l'enveloppe, je la reposai sur la table
de nuit, puis éteignis la lumière. Susie se pelo-
tonna contre moi, tandis qu'un air frais,
humide, pénétrait par la fenêtre ouverte. J'avais
ouvert aussi les rideaux avant de me coucher,
la première fois, car je déteste dormir dans une
chambre fermée. Maintenant, la tête tournée
vers les fenêtres, je regardais les étoiles et
j'écoutais le bruissement des feuilles. Je m'en-
dormis finalement.

Quand je m'éveillai, un beau soleil inondait
la chambre. Je restai quelques instants complai-
samment allongée dans le grand lit, jouissant
du cadre : les murs couverts d'un papier à
fleurs de couleurs délicatement fondues, dans
des tons bleus, verts et jaunes, et la fenêtre
cernée d'un feston de lierre et d'autres plantes
grimpantes. C'était une pièce élégante où tout,
comme dans le reste de la maison, dénotait une
famille habituée depuis des générations aux
avantages de l'aristocratie et au service d'un
nombreux personnel.

Je sautai du lit parce que j'entendais, dans
le couloir, des pas feutrés approcher, s'arrêter,
puis s'éloigner.

Je démantelai mon système d'alerte, remis
le vase à sa place et ouvris la porte. Devant
moi, sur un plateau rond, j'aperçus un petit

pot de porcelaine, un pichet couvert d'un linge,
un sucrier, une tasse, une soucoupe et, sur une
assiette, quelque chose, dans une serviette. Le
linge était de lin bleu, exquisement brodé.

Je me baissai, pris le plateau, refermai la
porte et emportai le butin sur mon lit. Je
poussai de petits gloussements de plaisir en
humant le parfum du café. Puis, je dépliai la
serviette et découvrit un toast beurré chaud
que je partageai avec Susie. Se faire servir son
café dès le petit matin était un privilège auquel
je n'aurais sans doute aucun mal à m'adapter.

Au moment où je reposais la serviette pliée,
j'aperçus le papier, qui avait dû glisser sous
l'assiette. Je l'en tirai. La suscription, *Mlle Le
Breton*, était tracée à l'encre noire, d'une écriture agressive, très différente de l'écriture droite
et soignée de Mme Conyers.

Je l'ouvris, le cœur battant. J'étais surprise
de constater mon appréhension à l'idée que
Tristan Darcourt — car je n'avais aucun doute
que cette écriture fût celle du « patron » —
voulait me signifier que je ne faisais pas l'affaire comme institutrice de sa fille et qu'il avait
pris des arrangements pour mon départ immé-
diat. Mais je lus ces simples mots :

*Veuillez me retrouver dans mon bureau à
huit heures.*

          Darcourt.

Je regardai ma montre. Il était sept heures
et il faudrait que je fasse faire une petite promenade à Susie avant mon rendez-vous.

Je pris une douche à la hâte et m'habillai.

A la dernière minute, je me décidai pour une robe de gabardine verte.

— Viens, Susie, dis-je, ouvrant la porte.

Je descendis l'escalier, traversai le hall et sortis sur la terrasse dallée ; puis je fis le tour de la maison. L'air était tiède mais léger et vivifiant, avec, par moments, l'odeur sûre, discrète, du marais. Mais, dominant tout cela, il y avait ce parfum sucré de l'osmanthe.

Je vis des écuries derrière la maison. Comme je m'approchais, je perçus une voix masculine :

— Mademoiselle Alix, votre papa vous a dit qu'il voulait que vous restiez à la maison ce matin. Je ne peux pas vous seller un cheval.

— C'est bon, Duncan. Je le sellerai moi-même. Je dirai à mon père que vous avez essayé de m'en empêcher. Ouvrez-moi, s'il vous plaît.

— Je ne peux pas faire ça, mademoiselle Alix. Vous savez que votre père serait...

Et j'entendis le claquement des sabots du cheval.

— Je vous en prie, mademoiselle Alix, ne faites pas ça ! Vous allez vous rompre le cou et casser une jambe à votre cheval. Je vais vous ouvrir.

Le rire argentin que j'avais déjà entendu la veille au soir résonna.

— Et vous ne doutez pas plus que moi que, s'il fallait choisir entre mon cou et les jambes de Brutus, mon père n'hésiterait pas, n'est-ce pas, Duncan ? C'est cela, ouvrez !

Tout arriva soudainement. Alix était de ceux qui démarrent immédiatement au grand galop.

Susie et moi, qui nous trouvions juste sur son chemin, ne nous déplaçâmes pas assez vite.

Je vis venir un gigantesque cheval alezan au-dessus duquel flottait une chevelure blonde. Susie aboya. Je me rendis compte qu'elle était exactement sur la trajectoire du grand hongre.

— Attention ! criai-je.

Je me précipitai en avant, repoussai brutalement la chienne et levai les yeux. C'était un spectacle effrayant. Le cheval s'était cabré et hennissait furieusement. Ses sabots étaient suspendus au-dessus de ma tête et les fers luisaient dans le soleil matinal. Je fermai les yeux. Les sabots retombèrent sur le côté.

— Désolée ! Je ne vous ai pas fait de mal, n'est-ce pas ? dit Alix, qui riait.

Avant que j'aie eu le temps de répondre, j'entendis le galop repartir de plus belle et se perdre dans les arbres. Je me relevai lentement.

— Vous n'avez rien, non, mademoiselle ?

Je me retournai. Un Noir aux cheveux grisonnants s'était approché de moi. Sa culotte de cheval souillée et les harnais qu'il portait à la main indiquaient un palefrenier.

— Non, rien. Où est Susie ?

Je me retournai. Nullement émue d'avoir échappé de peu à un accident, Susie gambadait près des fleurs. Je me retournai vers le palefrenier.

— Se lance-t-elle toujours de cette façon-là ?

— Oui, ma'ame. Presque toujours. Mademoiselle Alix ne fait jamais rien qu'en hâte et

tout de suite. C'est sa façon, à elle. Tout comme
sa...

Il s'arrêta net.

— Tout comme qui ? demandai-je, d'un air
de sainte-nitouche.

— Rien, mademoiselle. Vous voulez que je
vous selle un cheval ?

— Non, merci. Pas aujourd'hui.

Je ne croyais pas indispensable de lui expliquer que je n'étais jamais montée sur un cheval de ma vie.

Il porta la main à son chapeau plutôt fati-
gué et s'en retourna vers la cour des écuries
en grommelant :

Je regardai ma montre et m'aperçus que cet
épisode n'avait pris, au total, que cinq minutes.
Il me laissait une impression étrange. Ces sabots
suspendus au-dessus de ma tête m'avaient paru
terrifiants. Si Alix n'avait pas réussi à détourner son cheval au dernier moment, ils auraient
pu me fendre le crâne ou écraser la chienne.
Comme toujours, je réagissais à retardement.
Je sentis soudain mes genoux trembler.

— Nous retournerons nous promener plus
tard, Susie. Allons prendre notre petit déjeuner.
J'essaierai de te rapporter quelque chose de
bon de la cuisine, promis-je.

Je m'aperçus que le lit avait été fait en mon
absence.

Je m'apprêtais à m'en aller quand je me
retournai, sur un sursaut : je ne voyais nulle
part trace de l'enveloppe que j'avais laissée sur
la table de nuit, la veille au soir. Cela semblait

incroyable, mais, jusqu'à ce moment, je n'y
avais plus pensé.

Les yeux fixés sur la table de nuit, j'essayais
de me rappeler si je l'avais remarquée, le matin.

Mais j'avais beau essayer de me représenter
la table de nuit et le rectangle blanc appuyé
contre le verre d'eau, comme je l'avais laissé la
veille au soir, rien ne me revenait ; aucune
image. Il se pouvait que l'enveloppe ait été là à
mon réveil, comme il se pouvait qu'elle ait disparu pendant la nuit...

Dix minutes plus tard, j'avais fouillé toute
la chambre et je m'étais assurée que l'enveloppe ne s'y trouvait pas. Donc, quelqu'un était
entré pendant la nuit pour la reprendre ou,
beaucoup plus probablement, on l'avait enlevée
pendant que je promenais Susie.

Mieux valait traiter l'histoire comme une
plaisanterie et faire semblant de n'avoir rien
remarqué pour le moment, en tout cas. Cela
m'agaçait prodigieusement de laisser l'auteur de
cette mauvaise farce s'en tirer impunément,
mais il y a des moments où la sagesse commande
de ne rien faire.

Je pris Susie et la déposai sur le couvre-lit
immaculé. Puis je descendis. Je me demandais
où se trouvait le bureau de Darcourt...

— Derrière l'escalier, sur la droite, mademoiselle. Ensuite, traversez la bibliothèque et
le salon bleu, jusqu'à l'extrémité du couloir, dit
une voix.

Je me retournai et vis Stevens qui me regardait.

— Merci, Stevens.

Je me dirigeai vers le fond du hall et ouvris la porte de droite. La bibliothèque faisait le pendant de la salle à manger, de l'autre côté du hall. C'était une pièce élégante dont trois murs étaient couverts de livres, du parquet au plafond. Le quatrième mur, sur ma gauche, donnait par deux grandes fenêtres sur les pelouses et le magnolia, puis les bois de chênes, plus loin. Je parcourus la pièce. Au milieu d'un des murs, je vis une grande cheminée blanche dans laquelle un feu brûlait.

C'était une des pièces les plus belles et les plus confortables que j'eusse vues. Je restais là, fascinée, oubliant mon rendez-vous. Puis, je me retournai vers la cheminée et remarquai, sur le manteau, un portrait.

Je me demandai comment j'avais pu ne pas le voir immédiatement. C'était Alix que j'avais là devant moi, une Alix plus âgée, rieuse, avec ces traits délicats, ce long cou mince, l'inclinaison de la tête blonde. Les cheveux étaient relevés tout autour de la tête, comme pour une parure de bal.

Ce portrait devait dater des débuts dans le monde de la mère d'Alix. Car ce ne pouvait être qu'elle que j'avais là devant moi.

— Alix lui ressemble beaucoup, dit une voix, derrière moi.

Je sursautai et me retournai. Une porte s'était ouverte, dans le mur opposé — une porte que j'avais à peine remarquée, tant le bois fauve s'harmonisait avec le cuir des reliures. Tristan

Darcourt était apparu dans l'embrasure, qu'il remplissait presque de ses épaules inégales. Il avança et referma la porte derrière lui.

— Je vous attendais dans mon bureau, à l'autre bout de l'aile. Mais, ne vous voyant pas venir, je me suis décidé à aller vous chercher. Nous pouvons aussi bien parler ici d'ailleurs.

— Oui, dis-je après un silence, il y a une forte ressemblance. Je suppose que c'est le portrait de madame Darcourt ?

Il s'approcha en boitillant du bureau, s'y installa et m'indiqua une chaise devant lui. Je m'avançai et m'assis. Darcourt se cadra dans son fauteuil, les mains dans les poches.

— Oui, dit-il, c'est madame Darcourt. Maintenant...

— Ferai-je sa connaissance ? demandai-je vivement, pensant à l'enveloppe, avant qu'il ait eu le temps de changer de sujet, comme il était visiblement sur le point de le faire.

Et, comme il ne disait rien, j'ajoutai :

— Ce sera sans doute utile pour le travail que j'aurai à faire auprès d'Alix ?

— Non, vous ne la verrez pas, dit-il d'une voix lourde. Elle est... absente, presque tout le temps. Si nous parlions d'Alix maintenant ?

— Oui, bien sûr. Je pensais simplement... Oui.

Ma voix tomba. « Elle est absente, presque tout le temps », avait-il dit.

Et pourtant, pensai-je, l'enveloppe, cette enveloppe, qui avait bien été remise — elle avait été ouverte, en tout cas —, portait un cachet

de la poste de la semaine précédente seulement ! J'avais des questions au bout de la
langue. Mais je ne les poserais pas. Pas maintenant. Pas à cet homme. J'étais certaine qu'il ne
fallait pas — sans trop savoir pourquoi d'ailleurs.

Les sourcils droits, en face de moi, se fron-
cèrent.

— Pourquoi êtes-vous venue ici ? demanda
brusquement Darcourt.

La question me prit par surprise, de façon
fort désagréable. Cela voulait-il dire qu'il avait
eu vent de ma supercherie, qu'il se doutait que
je n'étais pas, comme je le prétendais, Thérèse
Le Breton, de La Nouvelle-Orléans, membre
d'une nombreuse famille dont les racines
étaient profondes dans ce pays cajun, d'où était
aussi originaire la famille de sa femme, le clan
Charpentier ?

Derrière les sourcils épais, les yeux m'obser-
vaient. Il fallait que je trouve une réponse avant
que mon hésitation n'accrût encore les soupçons qu'il pouvait déjà avoir.

— Mais, pour servir d'institutrice et de
demoiselle de compagnie à Alix, répondis-je.

— Comment avez-vous su qu'il lui en fallait
une, que j'en cherchais une pour elle ?

— On entend parler de ces choses-là, dis-je,
aussi calmement que je le pus. Comme vous le
savez par mon *curriculum vitae*, j'ai été institutrice de Melissa Laird et des enfants Penwick,
en Virginie. Je ne sais plus si c'est par Mme Penwick ou par l'une des autres dames de la

région que j'en ai entendu parler. Ginny Penwick, la plus jeune, devait aller en pension, et
je savais que je devrais me chercher une autre...
situation.

Je n'avais jamais été aussi heureuse de tous
les détails que Terry m'avait donnés dans ses
lettres.

— Je vois.

Il y eut une nouvelle pause. Je sentais les
muscles de mon estomac se nouer. Que ferait
un homme aussi puissant que Tristan Darcourt à une jeune femme dont il s'apercevrait
qu'elle avait pénétré dans son foyer sous une
fausse identité ? Mal à mon aise, je songeais
que sa puissance légendaire n'était pas seulement celle du rang et de la fortune. Elle éma-
nait de l'homme lui-même. On la devinait sous
des manières policées qui lui venaient de générations de bonne éducation.

Cet homme botté, vêtu d'une veste de cavalier usagée, assis dans cette magnifique bibliothèque, cet homme était un dur tout aussi dur
que Patrick James Wainright ; mais il se maî-
trisait beaucoup mieux que mon père.

— Très bien, fit-il enfin. Si je ne devais
pas partir ce matin même pour un voyage d'affaires, je serais tenté de me demander si vous
convenez bien pour cette situation. Mais, il faut
que je m'en aille. Je devrais même être parti
depuis longtemps déjà, je tenais cependant à
être ici à votre arrivée.

Cela revenait à me dire qu'il trouvait que
je faisais si peu l'affaire que, s'il n'avait pas eu

à s'occuper de choses plus importantes (sous-entendu : plus importantes que sa fille), il se serait immédiatement débarrassé de moi. Cela supposait aussi, que c'était lui, et non Mme Conyers, qui s'était occupé de mon recrutement. Cela me semblait assez clair, mais je me dis que la question méritait d'être précisée, du fait surtout qu'il allait s'absenter.

— J'avais cru comprendre que c'était madame Conyers qui avait préparé les arrangements, pour ma venue ?

— Elle a écrit sur mes instructions.

— Et, quand vous serez absent, serai-je sous son autorité ou responsable envers vous seul ?

— Elle aura autorité pour toutes les questions relatives à la marche de la maison. S'il devait se poser une question en ce qui concerne Alix, je vous suggère de lui en parler d'abord. Cela fait longtemps qu'elle travaille pour notre famille, et ses conseils sont bons...

Il s'interrompit. Les longs doigts un peu noueux tapotèrent le buvard.

— Vous m'avez trouvé dur avec Alix, hier soir, n'est-ce pas ?

— Certes. Vous l'avez humiliée devant moi. J'ai toujours trouvé ces façons...

Je cherchais un qualificatif convenable, pas trop blessant.

— Inélégantes ?

C'était lui qui l'avait dit, après tout.

— Exactement, inélégantes. Vous l'avez rabrouée devant une femme qui avait été engagée pour être sa demoiselle de compagnie.

— J'ai fait ce que, moi, son père, j'ai estimé être de son intérêt. Si vous croyez que j'ai tort, je suis prêt à vous écouter. Mais, pas maintenant.

— Comme vous voudrez, monsieur Darcourt.

— C'est cela. Comme je le veux. J'entends que soient respectées un certain nombre de règles, pour la maison et le domaine. Notamment, Alix ne doit pas quitter l'île en mon absence. En aucun cas, elle ne doit franchir la clôture ni s'aventurer dans la partie sud de l'île.

Les yeux froids me considérèrent un moment bien en face.

— J'ai cru voir que vous étiez assez portée à la rébellion, mademoiselle Le Breton. A ce point même que je dois vous dire que, si je n'étais pas tenu de m'absenter pour ce voyage d'affaires, j'essaierais de trouver quelqu'un de plus...

— Docile ?

Je n'avais pas pu me retenir : le mot m'avait échappé.

— Oui, fit-il : docile. Après tout, vous êtes mon employée. J'en sais beaucoup plus long que vous sur ma fille, et je sais ce qui lui convient le mieux. Je ne tolérerai pas qu'on l'encourage à la désobéissance.

Il marqua une pause, comme pour attendre que je le comprenne bien.

— Si cela vous semble sévère, reprit-il, je vous prie de vous rappeler ce que je vous ai dit. La moitié sud de l'île est pleine de maré-

cages et de sables mouvants. Alix risquerait de
mener son cheval dans un de ces endroits et de
disparaître sans laisser de traces.

Il avait dit cela d'une voix plate, terne même,
sans aucune émotion.

— Je sais ce que c'est, reprit-il, après avoir
marqué une légère pause. J'ai vu quelqu'un
mourir de cette façon.

Je frissonnai.

— Ces marais sont-ils vraiment indispensa-
bles aux bêtes sauvages que vous voulez préserver par ici ?

— Vous devez avoir entendu parler de ce
qui arrive aux Everglades, mademoiselle Le
Breton. Petit à petit, morceau par morceau,
cette région disparaît. On draine ; on assainit
les terres ; on construit. Je ne veux pas que
cela se produise dans l'île Darcourt. Il se trouve
que, comme l'île m'appartient, je peux faire
en sorte que cela n'arrive pas.

— Que se passera-t-il, monsieur Darcourt,
si Alix s'échappe, simplement comme elle l'a
fait ce matin ?

Je faillis me mordre la lèvre. Je n'avais pas
eu l'intention de dire que j'avais vu Alix s'en
aller au grand galop, une heure plus tôt, contre
les ordres paternels. Mais Tristan Darcourt
comprit manifestement mes scrupules, à mon
expression. Il me gratifia d'un sourire sardonique.

— Ne vous inquiétez pas ! J'étais au courant. J'ai vu Alix passer au grand galop sous la
fenêtre de mon bureau.

— Eh bien, supposez qu'elle se mette en tête de sauter par-dessus la clôture dont vous parlez ? Comment pourrais-je l'en empêcher ?

— J'espère que vous serez en mesure de la... persuader de ne rien faire de tel !

Son ton était sarcastique, ironique. Il y eut un silence. Je regardais ces yeux gris clair dans lesquels j'étais certaine de déceler de la moquerie. Je repris mon souffle.

— Je ne sais si mes pouvoirs de persuasion seront suffisants, monsieur Darcourt. Cela dépend beaucoup de mon expérience passée, du point de vue de la discipline, n'est-ce pas ? Je ne suis pas une personne autoritaire. J'ai toujours préféré le raisonnement à la force. Je ne peux pas vous promettre qu'Alix m'obéira. Je puis seulement vous assurer que je m'efforcerai de la mettre en mesure d'agir au mieux de ses intérêts.

— J'espère que vous réussirez. Mais, ne vous méprenez pas : je ne voulais pas dire que vous pourriez lui administrer des corrections. Je vous suggérais simplement de faire usage de l'autorité que vous donnent votre différence d'âge et votre expérience.

Je jugeai préférable de faire dévier la conversation :

— Monsieur Darcourt, Alix a-t-elle des amis personnels, des jeunes gens ou des jeunes filles qu'elle puisse aller voir ou qui puissent venir la voir ?

Je me rappelais le jeune homme blond qui

m'avait expédiée dans ce chemin de traverse boueux, à Saint-Damien.

Pour la première fois, je vis Darcourt marquer une sorte d'hésitation avant de me répondre. Il se leva, repoussa son fauteuil.

— C'est une des raisons pour lesquelles je vous ai fait venir, mademoiselle Le Breton. Afin que vous soyez une amie pour Alix.

Je me levai, moi aussi.

— Un symbole d'autorité et une amie, tout à la fois ? Ne croyez-vous pas que les deux s'excluent mutuellement ?

— Pas nécessairement, mademoiselle Le Breton. J'espère que vous saurez concilier l'un et l'autre. Excusez-moi, mais je dois vous dire au revoir maintenant. Petersen m'attend à l'embarcadère. Je souhaite que, lorsque je reviendrai, dans un mois environ, vous vous soyez installée confortablement dans votre double rôle.

Il s'inclina légèrement devant moi et regagna en boitillant la porte par laquelle il était entré. Sans se retourner, il la franchit et la referma derrière lui. Je n'avais pas plutôt entendu le déclic du pêne que je me rendis compte que j'avais oublié de lui demander une clef pour la porte de ma chambre, comme j'en avais eu l'intention. Enfin, je pourrais en parler à Mme Conyers.

CHAPITRE IV

J'assistai au départ de Darcourt, du balcon du premier étage. Je tournai l'espagnolette. La porte-fenêtre s'ouvrit sur le balcon. Je sortis et humai l'air salin à l'odeur à la fois douce et sûre.

A ce moment, j'entendis des voix, juste au-dessous de moi. Je me penchai par-dessus la balustrade de fer forgé..., mais je me hâtai de battre en retraite.

Tristan Darcourt, vêtu d'un complet gris, était sur le point de monter dans la jeep arrêtée devant la porte.

— Vous savez où me joindre, disait-il à Mme Conyers.

Je m'avançai à nouveau, plus prudemment, et me penchai légèrement pour essayer de voir la scène. Heureusement, la vigne vierge qui couvrait tout le balcon formait un écran relativement efficace.

— Oui, monsieur, dit la gouvernante, d'une voix qui me parut assez anxieuse. Mais, si elle...

J'aurais tué Judson qui, à ce moment, mit

le moteur de la jeep en route, m'empêchant d'entendre le reste de la phrase. Puis, le starter repoussé, le bruit du moteur diminua. La voix de Darcourt monta jusqu'à moi.

— Contentez-vous de veiller à empêcher par tous les moyens possibles que cela ne se produise. Vous comprenez ?

— Oui, monsieur. Mais, si elle veut voir par elle-même, visiter la maison ?

— Je vous dis que vous devez absolument empêcher que cela se produise. Vous avez Norton et Judson. Et, s'il n'y a pas d'autres moyens, vous savez comment lâcher les chiens. Est-ce bien clair ?

Je ne pus comprendre la réponse de Mme Conyers. Darcourt monta dans la jeep, son imperméable sur l'épaule, une serviette à la main. Brusquement, il leva la tête.

J'étais certaine qu'il ne pouvait pas me voir. Pourtant, je reculai alors que la jeep démarrait.

Immobile à mon poste de guet, je regardai la voiture prendre la longue allée circulaire. J'étais sur le point de rentrer dans la maison quand je vis une silhouette — Alix — s'élancer de dessous les arbres et se jeter vers la jeep. La voiture s'arrêta. Je ne pouvais pas entendre la voix d'Alix ; à plus forte raison ne pouvais-je pas savoir ce qu'elle disait ; mais ses gestes semblaient supplier. Je vis la main de son père faire un de ses gestes décisifs, coupants. La jeep repartit.

Alix s'accrochait frénétiquement à la portière. Puis, je vis Tristan Darcourt prendre la

main de sa fille, l'arracher de la voiture et re-
pousser Alix, la rejetant par terre. La jeep prit
de la vitesse et disparut sous les arbres.

Au milieu de l'allée, la jeune fille restait
prostrée, la tête contre le sol, les bras allongés
devant elle, comme si elle continuait à implorer.

Une profonde colère me saisit. Le comport-
tement dont je venais d'être témoin prouvait
une cruauté incroyable.

Je redescendis l'escalier en courant. Dans le
hall, je me heurtai à Mme Conyers qui rentrait
dans la maison.

— Mademoiselle Le Breton..., commença-
t-elle.

— Plus tard, madame Conyers ! Je vais voir
Alix.

— Laissez-la ! Cela vaut mieux.

Je me retournai d'un bond.

— Qu'est-ce qui vaut mieux ? la laisser
sangloter par terre ? Vous n'avez pas vu ce
qui s'est passé, madame Conyers ?

— Si, j'ai vu. Mais, si l'on ne fait pas attention à ses crises de nerfs, elle cessera ses sottises. Croyez-moi, mademoiselle Le Breton, son
père sait comment la traiter. Vous seriez bien
avisée de suivre son exemple.

— Son père m'a pourtant dit qu'il désirait
que je sois l'amie d'Alix. La place d'une amie
est auprès d'elle, en ce moment.

— Non, mademoiselle Le Breton. Vous vous
trompez.

Le moment me semblait venu de définir mon
domaine d'autorité.

— Madame Conyers, monsieur Darcourt m'a dit qu'il me confiait Alix, que je devais écouter vos avis, mais qu'il me revenait de prendre les décisions en dernier ressort...

Ce qui n'était pas exactement ce que Darcourt avait dit.

— Veuillez me laisser passer.

— Très bien, mademoiselle. C'est vrai que c'est vous qui êtes responsable d'Alix. Craignez seulement que je n'aie, dans l'avenir, l'occasion de vous le rappeler.

Et, passant devant moi, elle se dirigea vers l'escalier qu'elle monta.

Quelques instants plus tard, j'étais penchée sur Alix qui, à ce moment-là, s'était redressée, une main autour de son poignet endolori. La jeune fille était très pâle. Quand je m'approchai, elle leva les yeux vers moi. C'était la première fois que je la voyais de près et je ressentis la même impression de curieuse beauté hors du temps que j'avais eue en contemplant le portrait de sa mère.

— Il m'a fait mal au poignet, dit-elle.

— Faites voir ! dis-je.

La peau du poignet délicat était un peu rouge.

— Montrez-moi l'autre, demandai-je.

Je comparai les deux poignets, et il me parut effectivement que celui de droite était un peu enflé.

— Vous êtes tombée dessus ? demandai-je.

Je m'efforçais de ne montrer aucune émotion, voulant savoir ce qui s'était passé exactement.

— Non ! C'est mon père qui l'a tordu quand il l'a arraché de la poignée de la portière !

— Au-dessus des joues pâles, les grands yeux gris me regardaient fixement. Du point de vue émotionnel, j'étais entièrement du côté d'Alix, et mon indignation valait la sienne. Mais, instinctivement, je répondis sur un ton de bon sens, avec des arguments raisonnables :

— Vous avez de petits poignets. Votre père ne s'est probablement pas rendu compte qu'ils sont plus fragiles que les siens.

— Il devrait s'en rendre compte. Ce n'est pas la première fois que cela arrive.

Je me levai.

— Le mieux, maintenant, est d'envelopper le poignet dans une compresse froide. Allons chercher de la glace.

Elle se leva, aussi légère qu'une danseuse.

— Vous ne me croyez pas, n'est-ce pas ?

La note d'énervement que j'avais décelée dans sa voix et qui m'avait poussée automatiquement à répondre assez froidement avait disparu.

— Bien sûr que si que je vous crois, Alix. Si j'ai pu vous paraître... manquer de sympathie, c'est que ma réaction était sans doute inspirée par le souci de répondre au plus pressé.

— Comme on gifle les gens qui ont des crises de nerfs ?

Elle n'était pas sotte décidément ! Je lus sur son visage l'expression d'émotions

complexes. Le plus sûr, dans une situation de
ce genre, était encore de faire preuve de franchise.

— Si vous voulez. Je vous ai trouvée un
peu... énervée. J'ai réagi automatiquement
comme le fait une institutrice devant une tension excessive. Cela ne veut pas dire que je
manque de sympathie pour ce que vous pouvez ressentir.

Elle resta un instant sans rien dire.

— Je ne mentais pas, vous savez ? reprit-
elle. Ce n'est pas la première fois que ça arrive.

Là-dessus, elle releva la manche large de son
chemisier, presque jusqu'à l'épaule. Au-dessus
du coude, des meurtrissures apparurent, vertes
et noires, sur la peau délicate de l'intérieur du
bras. Elle laissa retomber sa manche.

— Ces marques-là, elles datent d'hier matin.

— Que s'est-il passé ? demandai-je. Votre
père voulait-il vous faire faire quelque chose
que vous ne vouliez pas faire ? Ou, inverse-
ment, voulait-il vous empêcher de faire quelque
chose ?

Les yeux gris, hostiles, me rappelèrent un
moment ceux de Tristan Darcourt.

— Est-ce que ça compte ? répliqua-t-elle. Y
a-t-il des choses qui justifient qu'il me batte ?

— Non, bien entendu, dis-je. Mais, s'il a fait
cela pour vous retenir, parce que c'était le seul
moyen qu'il avait de vous empêcher de faire
une sottise, — je ne sais pas, moi ; sauter par la
fenêtre, par exemple, — je trouverais cela plus
excusable que s'il vous avait battue, comme vous

dites, simplement pour faire preuve d'autorité.
Encore faudrait-il, ajoutai-je après y avoir réfléchi un instant, que je sois convaincue qu'il
avait épuisé tous les autres moyens, tels que la
persuasion raisonnable.

— La persuasion raisonnable ? Mon père n'y
croit pas ! Il ne croit qu'à l'obéissance absolue
— à sens unique, bien entendu !

Elle se frottait le bras tout en parlant. Elle
me jeta un regard hostile.

— Je ne m'étais pas rendu compte que vous
étiez de son côté et qu'il avait engagé une nouvelle espionne ! bougonna-t-elle. Il avait pourtant déjà madame Conyers, Judson et Norton,
tandis que moi, je n'ai que...

Elle ne termina pas sa phrase et se dirigea
vers la maison. Je la suivis et la rattrapai.

— Que qui ? demandai-je.

— Quelqu'un.

Nous marchâmes en silence un moment.
Notre première conversation n'avait décidément pas tourné comme je l'avais prévu. Au
lieu de gagner la confiance d'Alix, je me l'étais
aliénée.

— Attendez un peu, dis-je. J'ai l'impression
d'être partie du mauvais pied. Je désire être
votre amie. Je vous prie de croire, en tout cas,
que je ne suis pas une espionne.

Le mot m'avait doublement touchée, car,
après tout, même si Alix se trompait, pour ce qui
la concernait, n'était-ce pas exactement ce que
j'étais venue faire ici : espionner ? Le seul motif

de ma présence était de découvrir tout ce que je pourrais du secret de Darcourt...

Curieux ! me dis-je. J'avais toujours pensé, jusque-là, à ces mystères qui avaient intrigué mon enfance comme étant le secret de ma mère. Je ne sais quand, au juste, je ne sais comment, c'était devenu pour moi le secret de Darcourt.

Alix s'était arrêtée et me regardait fixement.

— Vous êtes une espionne, n'est-ce pas ? répéta-t-elle.

— Pas du tout, Alix ! Détrompez-vous ! Votre père m'a dit qu'il voulait que je sois pour vous une compagne, une amie.

— C'est ce qu'il a raconté à toutes les institutrices qui se sont succédé ici. Et toutes m'ont espionnée, pas autre chose.

Elle se retourna vers la maison et se mit à marcher rapidement.

— Alix ! dis-je, courant après elle ; Alix, écoutez-moi !

Mais, elle avait de plus longues jambes que moi et, sans effort, elle me distança. Alors, sans réfléchir, je m'arrêtai et lançai d'une voix forte :

— Arrêtez-vous, Alix, et retournez-vous. Je veux vous parler. Immédiatement !

Elle s'arrêta.

— Ecoutez-moi, Alix ! dis-je, changeant de ton.

— On aurait cru entendre mon père, fit-elle, stupéfaite.

— Excusez-moi. Croyez bien que j'aurais préféré ne pas vous faire sentir ainsi mon autorité. Mais, si je veux attirer votre attention alors que vous continuez à fuir, que puis-je faire d'autre, d'après vous ?

Elle me regarda d'un air méfiant.

— Je ne sais pas. C'est votre problème, non ?

Je m'arrêtai à quelques pas d'elle.

— Cela deviendra mon problème si je ne peux pas vous toucher, dis-je.

Elle baissa les yeux à terre, puis demanda, comme aurait pu le faire une gamine boudeuse de treize ans :

— Où voulez-vous en venir ?

— Je veux que nous soyons amies.

Elle releva la tête et me regarda, étonnée.

— On ne peut pas devenir amies comme ça. Vous me parlez de ça comme si vous me proposiez de signer un contrat. Ça ne se passe pas comme ça.

— Non, c'est vrai. Mais, après tout, ne pouvons-nous pas conclure un contrat ? Je ne ferai pas usage de mon autorité si vous ne claquez pas les portes.

Elle restait devant moi, sa tête blonde penchée, comme si elle cherchait quelque chose par terre. Puis, elle se baissa soudain.

— Je pensais bien que j'en avais vu un !

Ses doigts fouillèrent l'herbe humide.

— Qu'est-ce ? demandai-je.

— Un trèfle à quatre feuilles, dit-elle, se redressant. Vous voyez ?

Je m'approchai et regardai au creux de sa paume.

— Félicitations ! dis-je. Et bonne chance !

— Tenez ! dit-elle. En l'honneur de notre contrat.

Elle me tendit la main, d'un geste vif.

— Merci, dis-je.

Et je répétai :

— En l'honneur de notre contrat.

Nous reprîmes notre marche vers la maison.

— Qu'allez-vous en faire ? demanda-t-elle enfin.

J'ouvris la main et baissai les yeux sur le trèfle.

— Je vais le faire sécher, je pense, dans un livre. J'en ai un ici qui appartenait à ma mère. Un petit livre, format de poche. *Le Nouveau Testament*, en français. Elle le gardait toujours sur sa table de nuit.

Alix se tourna vers moi.

— Votre mère était française ?

Je sentis mon pouls battre plus fort. Sans l'avoir cherché, j'avais trouvé un sujet de conversation qui pouvait se révéler très utile.

— Française de Louisiane. Cajun.

— Oh ! ma mère aussi ! Le saviez-vous ?

« Prudence », pensai-je.

— Oui. Je crois que c'est... Oui, quand on m'a parlé de cette situation ici, et que j'ai écrit à madame Conyers à ce sujet, j'ai cherché votre famille dans le *Who's Who*. J'y ai trouvé que votre mère était originaire de La Nouvelle-Orléans et portait un nom français : Charpentier, n'est-ce pas ?

— C'est cela. Mais, à l'origine, la famille venait de la région des bayous. Mon grand-père

est tombé sur un champ de pétrole — vous
savez, il y a beaucoup de pétrole, là-bas, du côté
de Raceland et de Golden Meadow, dans le pays
du bayou Lafourche. Alors, le grand-père s'est
enrichi et a emmené la famille à La Nouvelle-
Orléans. Mais tous nos cousins, nos tantes, nos
grands-tantes sont restés là-bas, dans le pays
des bayous.

— Y êtes-vous allée ?

— Non. Mon père ne veut pas me laisser y
aller.

— Pourquoi donc ?

Elle haussa les épaules, et je sentis son
léger retrait.

— Je pense qu'il ne s'entend pas bien avec
la famille de ma mère.

Mais, je m'intéressais moins à l'histoire de
la famille en soi qu'au pétrole familial.

— J'ignorais que les propriétés pétrolières
des Darcourt se trouvaient en Louisiane, dis-je.
Quand on parle de pétrole, je pense toujours
aux milliardaires du Texas ou de l'Oklahoma,
ou aux émirats arabes. Je supposais que votre
famille avait des intérêts de ce côté-là.

J'avais essayé de dire tout cela aussi négligemment que possible, mais je retenais mon
souffle.

— Oh ! je ne parlais pas du pétrole Darcourt ! Celui-là, il y en a partout ! Je parlais
simplement de celui de grand-père Charpentier.

— Je vois...

Et alors, passant du coq à l'âne, elle demanda :

— Si vous n'êtes pas une espionne, comment se fait-il que vous sachiez que j'avais voulu sauter par la fenêtre ?

— Eh ! attendez un peu, que nous nous entendions bien ! Vous voulez dire que vous vouliez sauter par la fenêtre, hier matin ?

Elle ne répondit pas, mais toute son expression me prouvait que j'avais bien compris. Puis, brusquement, elle acquiesça d'un hochement de tête. Je sentis un petit frisson me parcourir. J'avais eu plusieurs fois affaire à des enfants sérieusement perturbés, et je savais que je pouvais craindre le pire. Mais, d'abord, il fallait que je fisse de mon mieux pour rassurer Alix.

— Croyez-moi, Alix, je vous en prie ! J'ai pris cet exemple — sauter par la fenêtre — parce que c'était vraiment l'exemple type d'un cas dans lequel on peut se trouver amené à faire violence à quelqu'un, très légitimement, même au point de le meurtrir. Mais personne ne m'avait dit que c'était ce qui s'était effectivement passé. Voyons, réfléchissez : si j'étais vraiment une espionne et que j'aie appris cela, il faudrait que je fusse absolument stupide pour aller vous en parler. Non ?

Il fallut bien une minute pour que son visage se détendît. Mais je vis qu'elle finissait par me croire.

— Bien. Vous avez sans doute raison. Mais, vous comprenez maintenant pourquoi j'ai cru que vous étiez une espionne ?

— Oui, je vois.

Nous marchâmes quelques secondes en silence. Puis, Alix soupira.

— Vous savez pourquoi je voulais me jeter par la fenêtre ? dit-elle.

— Non. Pourquoi ?

— Parce que mon père avait dit qu'il allait m'enfermer à clef.

— Etait-ce pour vous punir qu'il vous menaçait de cela ?

— Oh non ! Simplement pour m'empêcher d'aller voir ma mère, comme toujours.

J'élais si abasourdie que je m'arrêtai net.

— D'aller voir votre mère ? Mais, je croyais qu'elle se trouvait dans le midi de la France ?

— C'est ce que tout le monde croit. C'est ce que mon père voudrait faire croire à tout le monde, en tout cas. Mais ce n'est pas vrai. Elle habite une maison, de l'autre côté du marécage.

— Mais, pourquoi... ?

Je ne terminai pas ma question. Le silence, qui n'avait été troublé jusque-là que par les pépiements légers des oiseaux, fut soudain fracassé par des aboiements frénétiques.

— Les chiens, dit Alix, s'arrêtant. Je me demande ce qui les fait aboyer.

— Alix, pour votre mère...

Mais elle était partie, courant dans l'herbe, le soleil dans ses cheveux blonds.

Tout en me dirigeant vers la maison, j'essayai de digérer cette déclaration stupéfiante. Madame Darcourt vivrait donc dans l'île ?

J'avais l'impression que les aboiements qui,

plus ou moins forts, n'avaient pas cessé depuis un moment se rapprochaient.

Je n'avais plus peur des énormes chiens. Tout de même, il fallut que je prisse sur moi pour ne pas m'arrêter net quand ils se précipitèrent sur moi. Bientôt, je me trouvais entièrement cernée par les chiens.

— Couchés ! dis-je faiblement.

— Couchés ! dit une voix masculine, derrière moi.

Je me retournai et je me trouvai en face d'un des hommes les plus beaux que j'eusse jamais vus : la trentaine environ, grand, aussi blond qu'Alix et avec la même finesse de traits. Sa lèvre se retroussait dans un sourire engageant.

— Je suis André Charpentier, le cousin d'Alix, se présenta-t-il. Vous êtes certainement mademoiselle Le Breton ?

En raison de son accent, je craignis un moment qu'il ne fût originaire de La Nouvelle-Orléans ; il risquait donc de connaître une famille Le Breton là-bas.

C'était encore une chose que je n'avais pas prévue : Alix Darcourt devait fatalement avoir des cousins Charpentier de Louisiane. On pouvait s'attendre qu'ils connussent bien les autres grandes familles louisianaises traditionalistes, parmi lesquelles la famille Le Breton — ma famille supposée. Ma foi, pensai-je, résignée, ce garçon était là, et moi aussi ; je ne pouvais pas disparaître dans un trou de souris...

L'homme qui souriait, devant moi, attendait

une réponse ; il allait même trouver bizarre
que je ne réagisse pas plus vite.

— C'est exact, dis-je. Je suis Terry Le
Breton.

— Si j'avais su que j'allais faire votre
connaissance, je vous aurais apporté le bon
souvenir de votre tante Julie. J'étais chez elle
la semaine dernière.

Heureusement, j'avais fait la connaissance
de tante Julie lorsque j'étais allée voir Terry à
La Nouvelle-Orléans.

— Comment va Pompon ? demandai-je, souriante.

Pompon était un gros persan, gris, le favori
de tante Julie. Il avait fort mauvais caractère.
André Charpentier tendit le bras et remonta
les manches de sa chemise et de sa veste de
tweed : une grande égratignure remontait sur
l'avant-bras depuis l'intérieur du poignet.

— Cette fois, dit-il, je m'étais pourtant bien
cru tranquille. Il avait l'air de dormir. J'aurais
dû me méfier.

Alix nous rejoignit.

— Vous avez fait la connaissance de mon
cousin André, mademoiselle Le Breton ?

Elle tourna vers son beau cousin un regard
radieux, chargé de l'affection et de la confiance
qui lui faisaient curieusement défaut quand elle
regardait son père.

— J'ai eu ce plaisir, dis-je, souriante. Mais,
appelez-moi Terry, Alix. Je ne tiens pas à me
sentir vieille avant l'âge.

J'eus alors ma récompense. Peut-être était-

ce le reflux du sentiment qu'elle avait pour
André, mais je lus, dans le regard qu'elle me
jeta, l'amitié que j'avais espérée d'elle et qu'elle
ne m'avait pas encore montrée.

— Entendu, Terry, dit-elle un peu timide-
ment.

André me tendit la main.

— Vous permettez que je vous appelle aussi
Terry ? Pourtant, si cela ne vous fait rien, je
préfère en rester à Thérèse. J'aime beaucoup
mieux la forme française.

Je lui serrai la main.

— Bien sûr, dis-je. Ne vous étonnez pas,
toutefois, si je ne réagis pas immédiatement
quand vous m'appellerez Thérèse. Cela fait si
longtemps que j'en ai perdu l'habitude !

Je me félicitais d'avoir eu l'idée de cette
échappatoire qui expliquerait tout retard de ma
part à répondre à mon nom !

— Mais, dites donc, qu'avez-vous fait de
votre accent de La Nouvelle-Orléans ? reprit-il.
L'avez-vous perdu parmi les brumes de la Nouvelle-Angleterre ?

Je répétai mon histoire sur les leçons de
diction que j'avais prises.

— Bah ! fit-il, vous n'auriez pas dû vous
laisser faire !

Je fus assez soulagée de voir Alix lui prendre
le bras et requérir son attention.

— Que faites-vous ici, cousin André ? demanda-t-elle. Nous ne vous avons pas entendu
arriver. N'est-ce pas, Terry ? me demanda-
t-elle, souriante.

— En effet, dis-je. Et nous n'avons pas vu la jeep.

— Je suis arrivé avant que vous soyez levée, ma chère, expliqua le beau cousin.

— Pourquoi n'êtes-vous pas venu me réveiller ? Nous aurions pu aller nous promener à cheval ensemble.

— Je comptais le faire. Mais, pendant que j'étais occupé avec Tristan, qui ai-je vu galoper sous nos fenêtres, montée sur Brutus, sinon vous, petite ? Et en infraction formelle aux ordres de votre père, à ce qu'il m'a dit ?

Il leva la main et lui pinça la joue.

— Pourquoi vous donnez-vous tant de mal pour le faire enrager, Alix ?

Elle garda un instant les yeux baissés, puis releva la tête.

— Vous ne devriez pas avoir besoin de me le demander, dit-elle.

Un silence étrange tomba.

— L'ennui, avec Alix, Thérèse, vous vous en apercevrez, c'est son imagination débridée, dit André qui regardait sa cousine d'un œil affectueux. A tel point qu'il est quelquefois difficile de faire la différence entre ce qu'elle voit et ce qu'elle croit voir. N'est-ce pas, Alix ?

— Non, répliqua-t-elle, retirant son bras, ce n'est pas vrai ! Pourquoi dites-vous des choses pareilles, André ? Pourquoi me taquinez-vous ?

Sa voix était montée brusquement, atteignant un inquiétant registre.

— Voyons, ma chère, il faut que vous appreniez à supporter un peu les taquineries — et à ne pas vous prendre trop au sérieux ! N'ai-je pas raison, Thérèse ?

Il avait raison, certes. Mais, j'étais résolue à ne prendre le parti de personne contre elle, ni même à donner l'impression que je le faisais. Même si Alix était dans son tort.

— Quelquefois, dis-je, aussi légèrement que je le pus, la seule vérité, c'est ce que nous voyons.

Ma remarque me valut un regard surpris et reconnaissant d'Alix. Je me demandai si c'était simple imagination de ma part, mais je crus voir une ombre dans les charmants yeux bleus d'André.

Alix prit le bras de son cousin en me lançant un coup d'œil. Je me demandai si elle était aussi innocente qu'elle en donnait parfois l'impression.

— De quoi parliez-vous ce matin, avec mon père ? demanda-t-elle à André. Je croyais que vous ne deviez pas revenir avant le mois prochain ?

— Nous parlions d'affaires, bien entendu. D'ennuyeuses affaires.

Elle lui jeta un regard de biais.

— L'affaire Javeline ?

Un petit frisson me parcourut. André tendit le bras et ébouriffa les cheveux de sa cousine.

— Vous écoutez aux portes, petite ! Comme une domestique ! ajouta-t-il.

— Comment osez-vous... ?

Sa main était partie...

— Alix ! dis-je vivement.

Elle me jeta un regard furieux ; mais André avait déjà attrapé la main au vol.

— Ou comme un bébé, fit-il.

Alix retira sa main et resta là un moment, nous faisant face à tous les deux. Je voulus lui tendre la main, à mon tour.

— Alix..., dis-je.

— Vous vous moquez de moi, tous les deux !

Elle fit demi-tour et s'enfuit. Un silence s'établit entre nous.

— Il ne faut pas vous laisser émouvoir, dit enfin André tranquillement. Alix est une charmante enfant mais qui a été tout à la fois gâtée et négligée, d'où les crises de nerfs.

— Oui, dis-je. Vous êtes la troisième personne à qui je l'entends dire. C'est donc vrai.

— Ce n'est pas parce que madame Conyers et son père vous ont dit l'un et l'autre qu'elle était nerveuse que c'est nécessairement faux, fit-il, pince-sans-rire.

Nous rîmes, tous les deux.

— Dites-moi, monsieur Charpentier...

— André, je vous prie !

— Entendu, André, repris-je. Oui, je disais, il y a quelque chose qui m'intrigue un peu : monsieur Darcourt et madame Conyers m'ont assuré, l'un et l'autre, que madame Darcourt était absente. Madame Conyers a même précisé qu'elle se trouvait en France. C'est du moins ce que j'ai cru comprendre. Pourtant, Alix vient de me dire qu'elle habite l'île, dans une autre maison, de l'autre côté des marécages. Où est-elle, en fait ?

Je m'attendais un peu qu'il me fît la même réponse évasive que j'avais reçue de Tristan Darcourt et de la gouvernante, en laissant même entendre que cela ne me regardait pas. Aussi me sentis-je reconnaissante et soulagée quand il déclara franchement, sans hésiter :

— En France. Elle a une maison, sur la Côte d'Azur, non loin de la frontière italienne. Je trouve stupides les cachotteries que Tristan et madame Conyers font à ce sujet. Oh ! c'est assez naturel de la part d'un mari abandonné, mais je trouve cela irritant de la part d'une gouvernante !

Il me regardait, haussant ses sourcils blonds d'un air ironique.

— Je dois comprendre que madame Darcourt a quitté son mari ?

— Eh oui ! Alix était encore toute petite. Elle s'y serait même décidée plus tôt si la naissance d'Alix, qui n'était ni prévue ni désirée, du moins de la part de Nicole, ne l'avait pas incitée à prolonger un peu son essai de vie conjugale. Ils étaient mariés depuis neuf ans, à ce moment-là, sans enfants, et leur ménage avait assez mal tourné. La naissance d'Alix a paru le faire revivre, pour quelques années du moins. Peut-être Nicole a-t-elle cru qu'un enfant, même si ce n'était qu'une fille, pourrait adoucir un peu Darcourt ? Mais Tristan n'a pas manifesté beaucoup plus d'affection pour la petite que pour quiconque. Peut-être les choses eussent-

elles été différentes si ç'avait été un garçon. Les
Darcourt sont restés terriblement féodaux.

— Mais, si la mère d'Alix, madame Darcourt, est en France... ?

Il termina la question pour moi :

— Pourquoi Alix vous a-t-elle dit qu'elle
habitait la vieille maison, à l'autre bout de
l'île ?

— Oui. Prenait-elle ses désirs pour des réa-
lités ? Se moquait-elle de moi, simplement ?

— Un peu des deux probablement...

Il s'interrompit et soupira.

— Avec Alix, reprit-il, on ne sait jamais.
Il faut tenir compte du fait qu'elle vit dans
une réalité à elle. Pas toujours peut-être mais
souvent. Elle sait parfaitement que, par moments, elle confond la réalité objective avec
sa réalité subjective. Elle le sait, mais il est bon
de lui rappeler que les autres le savent aussi.
C'est du moins ce qu'affirme le docteur McIntyre.

— Quand madame Conyers m'a écrit, à
l'origine, elle m'a dit qu'Alix était une enfant à
problèmes. Je suppose que c'était à cela qu'elle
faisait allusion ?

— Sans aucun doute. Tristan a toujours
espéré que ça lui passerait avec l'âge. Mais,
je trouve que l'état d'Alix a plutôt empiré. Le
fait qu'elle vous ait raconté que sa mère habi-
terait la vieille maison de l'île le confirme. Vous
savez, c'est surtout pour cela que Darcourt a
édicté cette règle de fer, cette interdiction de
franchir la clôture. Il ne veut pas qu'Alix
pousse son cheval du côté du marécage. Il

pense — et le docteur McIntyre est d'accord avec lui — que ses promenades dans ce secteur né faisaient qu'accentuer la complaisance d'Alix pour ses phantasmes.

— Pourquoi ne m'a-t-il pas expliqué cela tout simplement ? me récriai-je, exaspérée. Au lieu de toutes ces histoires sur les dangers du marais et la mort horrible promise à ceux qui s'y aventurent !

— Il a raison sur ce point, vous savez. Après tout, il a vu son frère aîné mourir dans ces conditions-là...

— Son frère aîné ?

— Oui. Il était encore tout jeune. Il l'a vu mourir, sous ses yeux, à quelques pas de lui, sans pouvoir rien faire pour lui.

— Oh ! c'est affreux !...

Je me rappelai avoir trouvé, dans mes recherches, la mention de la disparition du frère aîné, « mort dans un mystérieux accident », disait-on dans un journal.

— Les deux frères étaient partis ensemble. Tristan est revenu tout seul. Il était seul à pouvoir donner sa version de ce qui s'était passé.

— Quel âge monsieur Darcourt avait-il à l'époque ?

— Je crois qu'il devait avoir dans les dix-sept ans. Vous parliez d'un « mystérieux accident », comme si vous aviez lu ces mots quelque part. Avez-vous vraiment lu quelque chose à ce sujet ?

— Une simple allusion dans les coupures de presse que j'ai parcourues...

Il me vint brusquement à l'esprit qu'une institutrice n'est pas censée aller se renseigner, auprès d'un journal, sur la famille dans laquelle elle projette de travailler. Je voulus m'expliquer :

— J'aime en savoir le plus possible sur les familles auprès desquelles je vais travailler.

— Je n'y avais jamais songé, mais cela me paraît une bonne idée. Ainsi, tout ce que vous avez pu trouver sur Robert Darcourt, c'est qu'il avait eu un « accident mystérieux » ? Ma foi, c'est assez vrai, dans un sens. Personne d'autre que Tristan ne sait ce qui s'est passé exactement.

— Et que s'est-il passé, d'après lui ?

— Oh ! il n'en dit rien, et je ne lui en ai jamais parlé ! Ni moi ni personne d'autre, à ma connaissance. Cela s'est passé dans le *Trou du Diable* — une zone de mauvais marécages assez proche de la vieille maison de plantation. Les deux frères, Robert et Tristan, étaient à cheval. Les marais sont, certes, dangereux, mais les chemins sont bien tracés, larges et assez fermes pour soutenir un cheval, ou même deux chevaux. Ce que j'ai entendu dire — mais je l'ai appris de seconde main, par un vieux domestique qui est mort depuis —, c'est que Tristan, qui chevauchait en tête, a entendu du bruit. Il a fait demi-tour. Robert avait été jeté à bas de son cheval ; il était déjà embourbé dans le marais jusqu'au-dessus du genou et il s'enfonçait rapidement. Il paraît qu'il hurlait en se sentant s'engloutir. Il hurlait...

J'avais littéralement la chair de poule. André s'en aperçut.

— Excusez-moi, fit-il. Je n'aurais pas dû vous raconter ça. Mais, je voulais vous faire comprendre... enfin, certaines attitudes de Tristan. Le docteur McIntyre assure qu'une aventure comme celle-là peut laisser des cicatrices profondes.

— Je veux bien le croire.

— Tristan semble avoir grande confiance en la personne du docteur. Mc Intyre vient ici tous les mois, pour faire des piqûres à Alix.

— Des piqûres ? De quel genre ?

— Des injections de multivitamines, je crois.

Nous étions arrivés à la maison. Alix avait disparu, ainsi que tous les chiens, sauf True, qui s'était couché sur le seuil.

— A propos, dit André, je dois me rendre à l'autre maison, à travers le marais. Cela vous plairait-il de m'accompagner pour la voir ? C'est une promenade intéressante.

— Monsieur Darcourt m'a interdit, en termes catégoriques, de franchir la clôture.

Un sourire effleura les yeux d'André et retroussa ses lèvres.

— Oh ! je pense qu'il voulait dire que vous ne devez pas vous y aventurer seule, ou avec Alix. Il ne verrait pas d'objections à ce que vous y veniez avec moi.

— Il semblait tellement catégorique... Mais, sans doute avez-vous raison. Seulement, il me semble que je devrais m'occuper d'Alix maintenant. Après tout, c'est pour cela que je suis ici.

— Elle a probablement été se faire seller son Brutus. Venez !

La voiture d'André était garée devant l'écurie.

— Nous la rencontrerons peut-être en route, dit André, fermant la portière derrière moi et montant de son côté.

Nous partîmes longeant la forêt. Les chênes gigantesques nous dominaient.

Plusieurs fois, le chemin décrivit des méandres pour franchir des barrières ouvertes. Quelquefois, les branches, au-dessus de nous, étaient si épaisses, si serrées, que le soleil disparaissait.

Et puis, soudain, nous nous trouvâmes en face d'une haute clôture. André avait raison : on ne pouvait pas la confondre avec les autres.

— La voici, votre clôture, dit-il simplement.

Devant le grillage, le chemin tournait. André suivit la clôture sur plusieurs milles, à ce qu'il me sembla. Sur notre gauche se trouvait la forêt que nous venions de quitter ; sur notre droite, de l'autre côté de la clôture, une autre forêt.

— Nous y voici, annonça André.

Après un dernier virage, nous nous trouvâmes devant un portail métallique qui s'ouvrait sur une maisonnette. Quand nous nous arrêtâmes, des aboiements frénétiques éclatèrent derrière la maison. La porte s'ouvrit et un homme apparut. En reconnaissant André, il obliqua directement vers le portail. Je remarquai qu'il portait des cuissardes. Il était coiffé d'un vieux chapeau de toile sur lequel étaient piquées des mouches de pêche. Il ouvrit les deux battants.

— L'eau est haute, fit-il.

— Merci, Norton. Vous n'avez pas vu passer mademoiselle Alix ?

L'homme fit non de la tête.

Nous franchîmes le portail, qui se referma derrière nous.

— Ainsi, Norton est gardien du portail en même temps qu'il s'occupe des chiens ? demandai-je.

— Oui. Oh ! c'est un gaillard polyvalent : assistant garde-chasse, forestier, jardinier !... Personne, à l'exception peut-être de Tristan lui-même, ne connaît aussi bien que lui toute l'île, les moindres sentiers qui traversent la forêt, les pistes du marécage. Il a même... Oh zut !

Il freina. La voiture s'arrêta brusquement.

— Qu'y a-t-il ?

— J'avais un message à lui communiquer de la part de Tristan. Cela ne vous fait rien de m'attendre pendant que je fais un saut jusque chez lui ? Nous risquons de ne pas le voir à notre retour.

— Faites, bien entendu. Mais, s'il n'est plus là, nous pourrons tout de même rentrer ?

— Naturellement. J'ai une clef. Je reviens.

En quelques secondes, il disparut au tournant du chemin qui cachait le portail de l'endroit où nous étions.

C'était étrange, pensai-je, quelques instants après avoir vu disparaître sa haute silhouette élégante, comme je me sentais seule. Les oiseaux dont Darcourt m'avait parlé devaient se trouver dans une autre partie de la forêt, car j'étais accablée par l'étrangeté du silence. Les chiens s'étaient tus.

Je me retournai et regardai tout autour de moi. On ne voyait aucune trace de vie. J'avais du mal d'avouer que la fille de Patrick James Wainright avait peur. Peur de quoi ?

Mais, André revenait.

— Excusez-moi, dit-il.

Il remonta dans l'auto et nous repartîmes.

Moins d'un quart d'heure plus tard, nous roulions au travers du marécage proprement dit. Je ne sais pas à quoi je m'étais attendue, sans doute à un spectacle sinistre, sombre, menaçant.

En réalité, c'était une contrée plate, semée d'une multitude d'étangs qui reflétaient le ciel bleu et gris, les nuages et le soleil. Et des oiseaux ! Des oiseaux en quantité extraordinaire. Ils étaient partout.

— Seigneur ! dis-je enfin. On dirait une immense volière.

André me regarda et sourit.

— C'est une réserve. Ici, ils sont en sûreté. Et je vous prie de croire qu'ils le savent.

Nous continuâmes sans mot dire. J'étais impressionnée.

— Je m'attendais à avoir peur dans le marécage, avouai-je enfin. Pourtant, cela me fait moins peur que la forêt.

— Il n'y a rien qui puisse faire peur dans le marécage — tant qu'on ne se trouve pas pris

dedans la nuit ou que l'on ne s'égare pas hors
des chemins. L'ennui, c'est qu'on ne peut jamais
savoir si on est en sécurité sur certains sentiers.
D'où les ordres de Tristan.

— Mais, vous semblez les connaître, vous ?

— Dame ! ça fait partie de mon métier !
J'ai été élève de la section eaux et forêts à l'uni-
versité. La réserve de l'île, c'est-à-dire les animaux sauvages et la végétation, est sous ma surveillance générale. J'ai aussi la charge d'une
autre réserve en Georgie et, naturellement, du
domaine Charpentier, en Louisiane.

— Ah ! je comprends !

Cela m'expliquait ce qu'André faisait dans
l'île alors que Tristan Darcourt en était parti,
et cela m'expliquait aussi la réponse de Darcourt que j'avais surprise, de mon balcon :
« Vous pourrez toujours recourir à monsieur
André », avait-il dit à Mme Conyers.

André m'avait dit aussi autre chose, quelques instants auparavant, qui m'avait surprise
et qui me trottait par la tête. Mais je ne parvenais pas à me rappeler au juste ce que c'était.
J'essayai de n'y plus penser pour le moment et
d'écouter ce qu'il me disait maintenant :

— Nous baguons certains oiseaux. Nous
avons des archives dans un petit local, à côté
de la vieille maison.

— Alix s'intéresse-t-elle aux études sur la
vie des bêtes sauvages ?

— Non, malheureusement. A cause de ses...
phantasmes, on ne lui permet pas de venir ici,
si bien que cela a fait naître en elle un préjugé

contre l'endroit et tout ce qui s'y rattache. Alix
a besoin d'amis et de contacts humains plus que
de n'importe quoi.

— J'ai demandé à son père si elle avait des
amis. Il m'a dit que non, que c'était une des
raisons pour lesquelles il m'avait engagée.

— Oui, dit André, évitant adroitement un
buisson mal placé. J'ai beaucoup de respect
pour Tristan et je le plains d'avoir à faire face
à une situation assez difficile, mais je me dis
souvent qu'il devrait relâcher un peu la règle
qu'il lui impose. S'il la laissait aller quelquefois
à Saint-Damien ou sur le continent, elle pourrait se mêler à d'autres jeunes.

L'allusion à Saint-Damien me rappela les
propos d'André que j'avais relevés au passage :
c'était ce qu'il avait dit sur le danger que l'on
courait si l'on s'égarait hors du chemin, quand
on se trouvait dans le marécage. Cela m'avait
fait penser au jeune homme blond de Saint-
Damien qui m'avait laissée m'engager dans un
chemin marécageux alors que la nuit tombait.
J'avais immédiatement songé à lui quand il
avait été question des jeunes qu'Alix pourrait
fréquenter.

— A propos..., commençai-je.

— La maison se trouve juste là derrière,
dit André qui, jetant un coup d'œil de mon
côté, ajouta : je vous demande pardon ; vous
alliez dire quelque chose ?

Mais, nous traversions une bande étroite
d'arbres, et ma réflexion me sortit de l'esprit.
De l'autre côté d'une espèce de prairie inculte

envahie par les mauvaises herbes, au milieu d'un autre secteur forestier, s'élevaient les murs couverts de plantes grimpantes et de lianes d'une demeure abandonnée et ruinée ; ses fenêtres vides semblaient des orbites creuses dans une tête de mort.

CHAPITRE V

En apercevant la bâtisse, je ne pus m'empêcher de m'écrier :

— Seigneur ! elle est certainement beaucoup plus ancienne que l'autre, n'est-ce pas ?

— Oh oui ! La première construction date de l'époque des Espagnols, vers les années 1570. Les fondations sont restées. C'était un fort, qui a été partiellement détruit quand l'île a été prise par les Anglais. Ensuite, lorsque le premier Darcourt a pris possession de l'île, il a construit cette maison. La famille l'a habitée jusque peu avant la guerre de Sécession. L'autre maison a été construite juste après la guerre, parce que l'intérieur de celle-ci avait été ravagé par un incendie. Une des aïeules de Tristan, plus folle que les autres, y avait mis elle-même le feu.

— Avait-elle une raison particulière, ou était-ce simplement une pyromane ?

— Appelez cela comme vous voudrez. Elle avait une raison, sans doute, mais assez farfelue. Une épidémie avait éclaté et faisait des

ravages dans la famille et dans les vieux quar-
tiers des esclaves. La brave dame pensait que
c'était une punition divine et qu'il fallait l'expier
en brûlant la maison. Il n'est pratiquement
resté que les murs. L'intérieur a été presque
complètement détruit, surtout le haut et l'arrière.

— Y a-t-il eu des victimes ?

— Une seule : la vieille dame elle-même,
qui s'était enfermée dans un cabinet où elle est
morte asphyxiée avant que personne ait pu lui
porter secours.

— L'épidémie l'avait-elle touchée, elle aussi ?

Il haussa les épaules.

— Je crois, oui. C'est peut-être pour cela
que la famille ne paraît pas s'être affligée consi-
dérablement de sa mort.

— De quelle maladie s'agissait-il ?

Il hésita, bizarrement.

— La fièvre jaune, je pense, dit-il enfin.
Elle était endémique, dans ces régions, à
l'époque.

Nous approchions de la maison.

— C'est tout de même surprenant qu'Alix
puisse penser que sa mère habite là-dedans !
me récriai-je.

André arrêta la jeep en face de la porte et
se tourna vers moi.

— C'est un peu pour cela que j'ai insisté
pour que vous veniez voir cette maison, dit-il.

La façade était de pierres grises sur lesquelles on voyait encore les traces de la morsure
des flammes. Les vitres des fenêtres à meneaux

avaient disparu. Au-dessus du toit défoncé, des cheminées se dressaient encore, presque aussi hautes que les arbres environnants.

— Cela paraît très grand, remarquai-je.

J'ouvris la portière de mon côté. Je me disposais à descendre quand André me retint.

— Attendez ! dit-il vivement. N'oubliez pas que nous sommes ici dans une réserve naturelle. Il y a des serpents, des scorpions...

Je rentrai précipitamment ma jambe. André sourit.

— Ne vous affolez pas. Ils ont plus peur de nous que nous n'avons peur d'eux. Ils vont s'en aller.

André prit une canne, sur le siège arrière, fit le tour de l'auto en fouettant l'herbe, et revint de mon côté.

— Maintenant, dit-il, le terrain devrait être sûr.

André me tendit la main.

— Ça va ? me demanda-t-il gentiment.

— Nous autres Le Breton, nous sommes intrépides ! assurai-je, sortant ma jambe et posant prudemment le pied dans l'herbe.

— Je vais vous montrer l'intérieur de la maison, puis je vous ramènerai à la voiture pendant que j'irai faire un tour à ce que j'appelle pompeusement mon bureau.

— Quel bureau ?

— Là-bas, dit-il. A droite, devant les arbres.

Il me montrait un baraquement, à la lisière de la forêt.

— Par ici, s'il vous plaît.

Il me précéda vers l'entrée de la maison. La grande porte de chêne massif, qui avait dû être très belle, céda sous sa main et s'ouvrit dans un grincement de gonds rouillés. Nous entrâmes dans un grand hall sur lequel donnaient les différentes pièces du rez-de-chaussée.

Il ne restait pas grand-chose du parquet et du mobilier.

— Y a-t-il de la lumière ? demandai-je.

— Non. On ne connaissait pas encore l'électricité, à l'époque de l'incendie. Mais, j'ai apporté de quoi nous éclairer.

Il sortit une grosse torche électrique de la poche de sa veste et pressa sur le bouton.

— Tenez, dit-il, me tendant sa canne. Prenez ceci, pour seconder votre intrépidité.

Il y avait, dans l'atmosphère de la maison, quelque chose qui me mettait mal à mon aise.

A pas lents, nous parcourûmes le rez-de-chaussée, les pièces silencieuses où régnait une odeur de moisissure, dont tous les recoins étaient garnis d'épaisses toiles d'araignée.

— Cette maison a dû être magnifique, dis-je.

— Eh oui ! Malheureusement, le temps a passé.

Des cadres étaient tombés au pied des murs. Je vis quelques estampes, fanées et jaunies, derrière le verre cassé, et deux portraits dont la peinture était si sombre qu'il était presque impossible de distinguer quoi que ce fût.

— Il faudrait les nettoyer, dis-je.

— Je l'ai dit à Tristan. Mais ces tableaux ne l'intéressent pas !

André s'en retourna dans le hall. Je le suivis.

— C'est tout de même curieux que monsieur Darcourt ne s'intéresse pas à ces tableaux de famille, insistai-je.

— Tristan a des préoccupations plus actuelles.

— Lesquelles, par exemple ?

Il se retourna, avec un petit sourire.

— Si je vous disais : le pétrole, le croiriez-vous ?

— Oui, je n'aurais aucune peine à le croire.

Il se mit à rire. Nous approchions de la cage d'escalier. Il projeta la lumière de sa torche vers le haut.

— Je vous ferais bien monter là-haut, si l'escalier était sûr. Mais, comme vous pouvez le voir, le dernier explorateur semble avoir eu un accident.

Le rayon lumineux s'était arrêté sur un grand trou, au beau milieu de l'escalier.

— Dans ce cas, dis-je, je préfère de beaucoup ne pas m'aventurer dans les étages supérieurs.

Je m'apprêtais à faire demi-tour quand je sursautai.

— Qu'était-ce ? demandai-je.

— Quoi donc ?

— On aurait dit..., je ne sais pas, un cri, un hurlement.

— Oh ! le faucon à queue rouge ! Nous en avons pas mal, par ici.

— On aurait presque dit un cri humain, remarquai-je.

Je franchis le seuil, et André tira la porte derrière nous.

— Je sais. La première fois que j'ai entendu ce cri, ça m'a fait sursauter, moi aussi. Je vous ramène à la voiture, dit-il, et je vous y laisserai. Je reviens dans une minute.

— Mais, j'aimerais voir ce baraquement aussi. Puis-je vous accompagner ?

— Bien entendu. Seulement, vous n'y verrez rien de très amusant. Des classeurs surtout. Allons-y.

En approchant, je distinguai mieux la bâtisse. C'était un solide baraquement de bois peint en vert foncé. La porte était fermée par une serrure très moderne.

— Pas de fenêtres ? m'étonnai-je.

— Vous savez, ce n'est en fait qu'un local de stockage pour les dossiers. Un petit conditionneur d'air le maintient à la bonne température.

— J'avais cru comprendre qu'il n'y avait pas d'électricité ici ?

— Dans la maison des ancêtres, non. Mais il y a un petit groupe électrogène pour le baraquement. Nous y sommes.

Il sortit de sa poche un trousseau de clefs, en choisit une, ouvrit la porte et alluma la lumière. Nous entrâmes.

L'intérieur était simple : un grand rectangle dont trois côtés étaient garnis de classeurs métalliques. J'aperçus des becs Bunsen, des éprouvettes, des flacons. Dans un angle, il y avait un réfrigérateur et, de l'autre côté, un bureau en bois, avec un téléphone.

— On dirait un laboratoire de travaux pratiques du lycée, fis-je observer, regardant autour de moi.

— Ces classeurs sont pleins de dossiers sur la flore et la faune de l'île.

— Et le réfrigérateur, c'est pourquoi faire ? demandai-je.

— Pour la bière, dit-il, souriant. On attrape chaud quelquefois à travailler par ici. Vous en voulez ?

— Non, merci. Mais, je boirais bien un soda.

Comme André ne me répondait pas, je me retournai vers lui. Debout derrière le bureau, il regardait un dossier qu'il avait pris et ouvert. Je ne sais pourquoi, j'aurais juré que, jusqu'au moment où je m'étais retournée, il m'avait observée. Mais, il me fit un sourire charmant.

— Excusez-moi. J'avais eu mon attention retenue par ce dossier... Vous disiez ?

— Rien de très important. Simplement que, s'il y avait du soda dans le réfrigérateur, j'en prendrais bien un.

— Je n'oublierai pas de m'en procurer pour votre prochaine visite. Je suis désolé de ne pouvoir vous en proposer pour le moment.

Il ouvrit le tiroir central du bureau, mit le dossier dedans, repoussa le tiroir et le referma à clef.

— Nous nous en allons ? proposa-t-il.

Nous nous mîmes en route en direction de

la voiture. Quelques instants plus tard, nous roulions à travers les herbes hautes.

— Je vais revenir par le *Trou du Diable*, proposa André, afin de vous le montrer.

— Une dernière gâterie que vous me réservez là, à ce que je vois ?

— Une mise en garde plutôt. Je tiens à ce que vous connaissiez l'endroit pour que vous évitiez de vous en approcher dorénavant.

— Je n'ai pas la moindre intention de m'aventurer dans ce marécage sans guide autorisé. Mais, vous avez raison : il faut tout voir, même le plus macabre.

Dans cette vaste zone marécageuse aux paysages toujours répétés de lacs, de fondrières, de buissons bas et de roseaux, j'aurais été bien en peine de dire dans quelle direction nous roulions. Au lieu de se diriger directement vers la forêt, André tourna à droite dès que nous fûmes sortis de la ceinture d'arbres de la vieille demeure.

— C'est à l'est du chemin direct, dit-il, s'engageant dans un itinéraire qui zigzaguait au travers des touffes de roseaux et des zones marécageuses.

— Comment pouvez-vous reconnaître votre chemin ? Y a-t-il des repères visibles ?

— Question d'habitude. Ce n'est pas loin, vous verrez.

En effet, cinq minutes plus tard, il ralentit.

— Nous y sommes, annonça-t-il.

Il s'était engagé dans une sorte de passage circulaire.

Le chemin, à cet endroit, devait bien faire deux mètres de large.

Il me montrait du doigt, à l'intérieur de ce cercle, une étendue de boue noire, gluante, à quelques centimètres au-dessous du niveau du chemin. Çà et là, des touffes de roseaux d'un vert vif en sortaient. Je me sentis vaguement déçue.

— Cela n'a pas l'air pire que n'importe quelle autre partie du marécage ! remarquai-je.

— Oui. Et c'est bien pourquoi c'est si dangereux. Vous allez voir.

Il se retourna et chercha quelque chose sur le plancher de l'auto, à l'arrière. Il se redressa avec un morceau de bois de cinq centimètres sur dix environ.

Il se leva et jeta le morceau de bois au milieu de la boue. Le morceau de bois disparut immédiatement, avec un bruit de ventouse fort déplaisant. Puis, ce fut le silence. Je distinguai quelques miroitements, à la surface de la boue, à l'endroit où le bois avait été englouti, puis on ne vit plus rien.

André dit, d'une voix parfaitement inexpressive :

— Il faudrait quelques minutes de plus à un être humain pour disparaître tout aussi complètement.

— Je comprends pourquoi on appelle cela le *Trou du Diable*, dis-je. Ce doit être une mort particulièrement épouvantable.

— Je n'en imagine pas de pire.

Il embraya et nous repartîmes, laissant le *Trou du Diable* derrière nous.

— Et y a-t-il des branches à portée du *Trou du Diable* ? demandai-je.

— Vous n'avez donc pas vu sa largeur ? Je ne sais pas si les plus grands troncs d'arbre seraient suffisants pour l'enjamber. Et comment les mettre en place, en cas de besoin ?

— On ne peut pas entourer cette mare d'une clôture métallique, par exemple ?

— Nous en avions posé une et nous avions pris soin de la fixer sur le terrain que nous croyions ferme, à quelque distance de la vase. Mais, elle n'a pas été plus tôt posée qu'elle a commencé à s'enfoncer en désagrégeant le bord du terrain solide, si bien que cela n'a eu pour résultat que d'élargir la zone dangereuse. Mais, Thérèse, cela n'a pas tellement d'importance, puisque toute cette zone est pour ainsi dire sous clef. Qui viendrait là ?

— Alix.

— Elle connaît le marais et ses dangers mieux que personne. Je vous l'ai dit, si son père redoute qu'elle vienne ici, c'est plus par peur de la voir s'abandonner à ses phantasmes que parce qu'elle risque de se faire prendre dans ce trou. Simplement, il préfère, devant les tiers, parler des dangers du marais, parce que cela lui épargne de reconnaître que les périodes de... d'aliénation d'Alix deviennent de plus en plus fréquentes.

— Cela semble puéril. Et monsieur Darcourt ne m'a pas fait l'effet d'un homme puéril.

— Voyons, Thérèse, ne savez-vous pas que l'homme le plus sage finit par croire, au sujet des êtres qu'il aime, ce qu'il a le plus envie de croire ?

Il avait entièrement raison, bien entendu. Depuis combien de temps mon père savait-il que la dernière maladie de ma mère était fatale, par exemple, avant qu'il n'acceptât de se l'avouer ?

— Vous avez raison, dis-je. Mais, il me semble que monsieur Darcourt se montre quelquefois bien sévère avec elle, pour quelqu'un qui, dites-vous, a tant d'affection pour elle.

— C'est sa nature. Il ne connaît probablement pas d'autre façon d'exprimer son affection et son anxiété. Si vous aviez connu sa femme... Mais non, je préfère ne pas en parler !

J'avais grande envie de poser quantité de questions, mais je réussis à me maîtriser. Nous changeâmes de conversation. André me montrait les oiseaux, m'indiquait leurs noms, décrivait avec beaucoup de compétence les mœurs de ceux qui étaient natifs de la région et celles des migrateurs.

— Vous n'avez pas faim ? demanda-t-il, comme nous rentrions dans la zone de forêt.

L'intérêt que j'avais porté à cette promenade m'avait empêchée de m'en rendre compte, mais j'avais une faim de loup. Je l'avouai.

Quand nous arrivâmes à la maison, André refusa d'entrer, déclarant qu'il devait repartir. Il appellerait Petersen pour que celui-ci vînt, du continent, le prendre sur la jetée.

— Et votre déjeuner ? demandai-je.

— Je prendrai un sandwich à Saint-Damien ou à l'aérodrome. Mais, il faut vraiment que je parte. Il est plus tard que je ne pensais. Le plaisir de votre compagnie m'a fait oublier l'heure.

Je me demandais jusqu'à quel point il était sincère.

— Merci du compliment, dis-je. Ne vous croyez pas obligé...

— Ce n'est pas un compliment du tout ! protesta-t-il ; c'est une simple constatation. A bientôt, j'espère ?

Et, sur un autre sourire et un petit geste de la main, il s'en alla.

Je rentrai dans la maison, par la porte de derrière. Je m'étonnais un peu de ce départ : j'aurais juré qu'André avait eu l'intention de déjeuner avec nous, un moment plus tôt. J'étais un peu déçue — et je me demandais ce qui l'avait fait changer d'avis.

Dès que je fus entrée, des parfums délicieux montèrent à mes narines. Cela semblait venir de portes qui donnaient sur la droite, où devaient se trouver les cuisines.

J'hésitais à me diriger vers les cuisines, quand le maître d'hôtel, Stevens, apparut à la porte de la salle à manger.

— Puis-je vous être utile, mademoiselle ? me demanda-t-il.

— J'appréciais l'odeur délicieuse qui vient des cuisines, dis-je, souriante.

— C'est que le déjeuner va être prêt, mademoiselle. Je m'apprêtais à frapper le gong.

— Dans ce cas, je ferais bien de monter me
laver les mains. Savez-vous où est mademoiselle Alix ?

— Elle doit être dans sa chambre ou dans
la salle qu'elle s'est aménagée en haut de la
maison, dans le grenier. Elle y monte souvent.

— Bon, dis-je, me dirigeant vers l'escalier,
j'irai la chercher dès que je me serai lavé les
mains. Mais, peut-être sera-ce inutile ? Si elle
est comme la plupart des filles de son âge, j'imagine qu'elle accourt dès qu'elle entend le gong ?

— Oh ! non, mademoiselle ! pas du tout !
Quelquefois, elle oublie même complètement de
manger.

Cela expliquait sans aucun doute cette apparence frêle qui servait si bien sa beauté. Mais,
en montant l'escalier, je réfléchis que son cas
n'était pas vraiment exceptionnel.

Comme j'arrivais au palier, je m'arrêtai,
frappée par la façon dont j'essayais de trouver
des excuses aux manières étranges d'Alix. Etait-
ce que je réagissais comme son père et que j'essayais de me persuader qu'il n'y avait rien en
elle qu'on pût qualifier d'anormal ? L'idée que
je pouvais avoir des réactions semblables à celles d'un Tristan Darcourt me déplaisait souve-
rainement.

J'étais arrivée devant la porte de ma chambre. Je l'ouvris et fus saluée par les aboiements
de ma chienne.

— C'est bon, c'est bon, dis-je, allant la caresser.

Je me penchai sur elle et la serrai contre moi.

A ce moment-là, le gong résonna. Je me lavai rapidement les mains, donnai une dernière caresse à Susie, remplis une assiette du contenu d'une boîte de nourriture pour chiens, puis me précipitai hors de la chambre et dégringolai l'escalier.

Quand j'arrivai à la salle à manger et que je vis qu'Alix était déjà là, j'éprouvai un certain soulagement. J'avais eu peur d'être obligée de la chercher dans cette immense demeure.

Nous nous assîmes. En l'absence de son père, Alix avait pris place au bout de la table.

— Est-ce votre chien, que j'ai entendu tout à l'heure ? demanda-t-elle.

— Oui, dis-je, c'était Susie.

Je regardai Mme Conyers, assise à gauche d'Alix, en face de moi. La gouvernante pinçait les lèvres en entendant parler de la chienne.

— Je n'étais pas vraiment censée l'amener, expliquai-je, mais je n'ai pu me résoudre à la laisser derrière moi. Votre père l'a présentée aux autres chiens. J'espère qu'ils se la rappelleront.

Madame Conyers, l'air maussade, ne dit rien.

— Bien sûr qu'ils se souviendront d'elle ! fit Alix. Nous l'emmènerons en promenade, après le déjeuner, et nous renouvellerons les

présentations, si vous voulez. Non que ce soit
nécessaire...

— J'espère que non, dis-je.

Tandis que je me servais de jambon, Mme
Conyers me fit remarquer :

— Monsieur Darcourt désire qu'Alix re-
prenne ses cours le plus tôt possible.

— Mais, Terry vient juste d'arriver ! pro-
testa Alix. Je veux lui faire faire un tour, cet
après-midi.

Madame Conyers ne broncha pas, mais je
vis bien qu'elle était fort mécontente d'entendre Alix m'appeler par mon prénom.

— Mademoiselle Le Breton vous a-t-elle au-
torisée à l'appeler par son prénom ? lui demanda-t-elle.

— Oui, dis-je vivement. Je ne suis pas
habituée à.. au formalisme.

La gouvernante haussa les sourcils.

Pendant un moment, je consacrai toute mon
attention à ce qu'on m'avait servi : des tran-
ches d'un jambon au goût tout à la fois sucré
et fumé, avec une salade de riz, très fine.

Alix n'avait pas pris grand-chose. Madame
Conyers, qui s'était, elle aussi, servie de façon
très frugale, avait laissé un peu de riz.

— Si vous voulez bien m'excuser, dit Alix,
je vais monter un peu avant notre promenade.

— Il y a encore du dessert, rappela Mme
Conyers.

Alix se leva.

— Je n'en veux pas, dit-elle.

— Vous resterez à table jusqu'à ce que nous

ayons pris le dessert, Alix ! Vous savez que
Matilda a confectionné sa crème glacée spé-
cialement pour vous.

— Je ne resterai pas ici si je n'en ai pas
envie. Matilda sait parfaitement que je n'aime
pas prendre de dessert à midi.

— Alix...

— Je ne veux pas, c'est tout !

Là-dessus, elle rejeta sa serviette et sortit
de la pièce en courant.

Sans broncher, je m'obstinai à terminer ce
qui restait dans mon assiette. Cela me donnait
au moins une contenance pour affronter les
assauts prévisibles de Mme Conyers.

— On ne devrait pas autoriser Alix à se
conduire comme une sauvage, dit-elle, à oublier
ses bonnes manières. Il ne peut en sortir aucun
bien. Et son père ne le tolérerait pas !

Je soupirai. La scène était inévitable ; je
réfléchissais à ce que j'allais dire et faire quand
quelque chose, dans la dernière réflexion de la
gouvernante, me parut de nature à changer mon
point de vue. Mais, je n'avais pas eu le temps
de démêler ce que c'était qu'Alix réapparut.
Elle entra et vint droit à moi.

— Je suis terriblement désolée, Terry, me
dit-elle. C'était impoli de ma part. Excusez-moi,
s'il vous plaît.

Puis, elle retourna à sa place et se rassit.

— A mon avis..., commença Mme Conyers.
Je l'arrêtai net :

— Un moment, madame Conyers ! C'était à
moi qu'Alix s'adressait. Je tiens à vous rappe-

ler que monsieur Darcourt a laissé Alix à ma charge. J'allais le faire quand Alix est revenue (je me tournai vers la petite), geste que j'apprécie beaucoup.

Je lui tendis la main. Alix rougit, la prit. Puis, je me retournai vers la gouvernante :

— Tentons une expérience, s'il vous plaît. Laissez-moi Alix. Si quelqu'un doit trouver à redire à sa conduite, laissez-moi ce soin. Comme je le rappelais, monsieur Darcourt m'a donné la responsabilité d'Alix. Je l'assumerai totalement. Allons, donnez-moi une chance !

Cette fois, c'était à elle que je tendais la main. Je ne ressentais aucune émotion en faveur de cette femme au visage maussade, mais je savais que je lui avais parlé plus rudement que je n'en avais eu réellement l'intention. Elle se leva, et je compris que je n'avais pas réussi à la toucher.

— Très bien, mademoiselle Le Breton, fit-elle. Je vous laisserai entièrement Alix. Pour moi, j'écrirai à monsieur Darcourt pour lui dire que c'est vous qui vous occupez d'elle. Et, si quelque chose... si quelque chose tourne mal, c'est vous qui en porterez la responsabilité.

— Oui, dis-je remarquant que la main avec laquelle elle repoussait sa chaise tremblait. C'est exactement ce que je disais.

Sans plus nous regarder Alix et moi, la gouvernante serra son châle autour de ses épaules et quitta la salle à manger.

Certes, j'étais satisfaite d'avoir remporté une victoire, mais j'étais surprise de constater que

j'avais quelques remords devant la raideur
fière et désolée de cette femme âgée. Alix n'était
visiblement pas de cet avis.

— Bravo ! dit-elle, vous avez été claire !
Maintenant, nous n'aurons plus à nous soucier
d'elle.

— Nous avons toujours à nous soucier des
autres, Alix, surtout quand ils sont d'un certain
âge, et plus particulièrement quand ce sont nos
employés et que c'est nous qui tenons les cor-
dons de la bourse.

Les yeux gris d'Alix étaient fixés sur moi ;
ils faisaient preuve d'une perspicacité gênante.

— Vous n'avez pas donné l'impression que
vous vous préoccupiez beaucoup de ce qu'elle
ressentait ? remarqua-t-elle.

Elle avait parfaitement raison, et je savais
qu'il eût mieux valu, aussi bien pour Alix que
pour Mme Conyers, pouvoir dire ce que j'avais
à dire en privé, éviter qu'Alix n'assistât à l'hu-
miliation de la gouvernante.

— C'est exact, dis-je. Mais cela ne veut pas
dire que je n'aie pas eu de sympathie pour elle
et pour la façon dont elle a dû ressentir l'affront
d'être ainsi rabrouée devant vous. J'aurais préféré pouvoir lui parler seule à seule. Comme je
tenais à bien préciser immédiatement nos posi-
tions respectives, j'ai fait passer au second plan
le souci de sa dignité. Mais, cela ne vous donne
pas — pas plus qu'à moi — le droit de penser
que ses sentiments ne méritent pas d'être pris
en considération.

Alix sortit un peu le menton. Son regard,

qui pouvait être si doux et si expressif, s'était fait dur comme du granite. Il me rappela un moment celui de son père :

— En somme, vous me dites : ne faites pas ce que je fais, faites ce que je dis ?

Je ne pus m'empêcher de sourire.

— Ah ! je vois que vous ne vivez pas aussi à l'écart du monde qu'on veut bien le dire ! fis-je.

Alix ignora ma repartie. Je n'avais pas renoncé à discuter avec elle de ce qu'elle considérait comme mon hypocrisie, mais il fallait bien que j'interrompisse la discussion pendant que Stevens était dans la pièce — et Alix le savait parfaitement. Stevens lui servit de la glace à la fraise.

— Merci, Stevens, dit-elle, tout à fait grande dame. Remerciez Matilda d'avoir pensé à confectionner cette crème, s'il vous plaît.

— Je n'y manquerai pas, mademoiselle Alix. Cela lui fera plaisir. Elle était navrée de savoir que vous aviez quitté la salle à manger sans en goûter.

Les expressions se succédaient rapidement sur le visage mobile d'Alix : de la bouderie, du regret, du défi et — à mon étonnement et pour mon plaisir — de l'humour. Un moment, ses yeux rencontrèrent les miens. Puis, elle se tourna vers le maître d'hôtel.

— Stevens, madame Conyers... Madame Conyers a été obligée de quitter la salle à manger sans terminer son déjeuner. Voulez-vous lui

porter de la glace ? Je sais qu'elle l'aime beaucoup.

— Certainement, mademoiselle Alix, dit
Stevens, souriant. Ce sera un plaisir pour moi.

Nous restâmes assises, mangeant notre glace
en silence, pendant que le maître d'hôtel servait
une autre portion de glace et emportait l'assiette.
Je regardai Alix. Son air de bénignité gracieuse
était irrésistible.

— Dites-moi, fis-je tout aussi gracieuse-
ment : parmi les nombreuses grandes souve-
raines qui me viennent à l'esprit, laquelle est
le rôle préféré de Votre Majesté ? la grande
Elisabeth, Victoria, une des Médicis peut-être ?

Le sourcil blond royal se fronça un instant
de façon orageuse. Puis, j'entendis un petit
gloussement étouffé.

— J'en ai un peu rajouté, non ?

— Oui, pas mal. Mais vous êtes douée. Avez-
vous jamais eu l'idée de monter sur les
planches ?

Je compris que j'avais commis une erreur
colossale. Le visage d'Alix s'était éclairé.

— Oh ! oui, oui, oui ! J'aimerais mieux faire
cela que n'importe quoi ! Si seulement mon
père voulait... Mais, il n'y a rien à faire. Il veut
m'enfermer ici tout le reste de ma vie.

— Pas tout à fait, fis-je remarquer le plus
raisonnablement que je le pus. Au pire, pendant
deux ans. A dix-huit ans, vous serez une adulte.

— Je serai morte, à ce moment-là !

C'était bien le genre de chose qu'eût pu dire
n'importe quelle adolescente frustrée pour se

donner une attitude dramatique. Pourtant, il
y avait quelque chose dans la façon dont Alix
avait lancé cela qui provoqua ce petit frisson
que j'avais déjà ressenti à de trop nombreuses
reprises, depuis que j'étais arrivée dans l'île
Darcourt, comme si, un moment, Alix avait
réellement entrevu son propre destin catastro-
phique.

CHAPITRE VI

Alix tint sa promesse. Elle me montra la maison cet après-midi-là.

— Venez, nous allons commencer par les étages.

Et, elle bondit dans l'escalier, deux marches à la fois.

Elle ne s'arrêta qu'un instant sur le palier du premier, pour s'assurer que je la suivais, et se dirigea vers le deuxième étage.

— Ouf ! dis-je, quand nous y arrivâmes ; cela fait une bonne escalade.

— Ce n'est pas encore terminé, répliqua-t-elle avec un sourire malicieux.

Elle s'engagea en courant dans le couloir de gauche. Au bout de ce couloir, un escalier étroit montait vers une porte.

— C'est mon domaine, dit Alix, montrant la porte. Venez !

Elle monta la dernière volée de marches, tira une clef de la poche de sa veste et ouvrit.

Le domaine d'Alix était un long grenier bas, éclairé par des fenêtres mansardées donnant

des deux côtés de la maison. Des tapis de toutes
sortes couvraient le sol. Sous la pente du toit,
je vis des meubles de toutes les époques, notamment plusieurs bibliothèques, toutes remplies
de livres.

— C'est un véritable petit paradis, dis-je,
regardant autour de moi.

Alix se dirigea vers un divan bas, placé
sous une des fenêtres, et s'y allongea voluptueu-
sement.

— N'est-ce pas ? dit-elle, les bras étendus.
C'est ici que je viens quand je ne peux plus
supporter le monde, ni aucun de ceux qui y
vivent. Il n'y a que moi qui aie la clef.

Elle s'était tournée sur le côté pour me regarder. J'avançai vers les bibliothèques, pour
regarder les livres.

— Mais, dis-je au bout d'un moment, vous
avez là des trésors ! Certains de ces classiques
n'ont plus été réimprimés depuis plus d'un
demi-siècle.

Elle se leva.

— Oui, dit-elle. De temps en temps, père
menace de faire venir un bouquiniste pour re-
vendre ses vieux livres. Alors, sans rien dire,
je prends ceux qui me font envie et je les monte
ici, et on ne parle plus de rien.

— Votre père ne s'aperçoit pas que vous les
avez pris ?

Elle se leva et revint vers la porte.

— Oh ! il le sait ! Il n'aime pas que je
monte ici, parce qu'il ne peut pas m'y tenir à

l'œil. Mais, dit-elle gaiement en ouvrant la porte, il ne peut pas m'en empêcher.

Je sortis du grenier et attendis sur une marche inférieure pendant qu'Alix refermait à clef.

— Comment pouvez-vous l'empêcher de vous en empêcher ? demandai-je.

— Parce que, dit Alix, remettant la clef dans sa poche, ce n'est pas la seule retraite que j'ai. Et il ferait n'importe quoi plutôt que de me laisser aller dans l'autre. Il préfère encore me laisser ce grenier pour moi seule.

Je n'eus aucun doute sur ce dont elle voulait parler : la vieille demeure en ruine que j'avais vue le matin, où elle avait prétendu que sa mère vivait.

Quand nous arrivâmes au bas de l'escalier, elle dit, d'une voix plate, sans émotion :

— André vous a emmenée à la vieille maison ce matin, n'est-ce pas ? Et il vous a montré qu'elle était vide.

— Oui, dis-je.

Elle se mit à rire.

— Si bien que, maintenant, vous vous imaginez qu'il m'arrive de battre la campagne, n'est-ce pas ?

En fait, c'était bien ce que je pensais. Et tout dans ses manières, depuis le début du repas, me montrait, si j'avais encore besoin de preuves, comme elle pouvait être instable. Pourtant, j'étais convaincue également qu'elle me mettait en quelque sorte à l'épreuve en ce moment : qu'elle prenait la peine de me mon-

trer la maison, et ce grenier, avec sa serrure et
sa clef unique, dans un but bien précis. Seulement, bien entendu, je n'avais aucune idée de ce
que ce but pouvait être.

— Venez ! dit-elle soudain. Je vais vous
montrer le reste de la maison.

Pendant les deux heures suivantes, nous
parcourûmes les trois niveaux de la partie prin-
cipale de la maison, les vingt-quatre chambres à
coucher des deux étages supérieurs, les deux
grands salons, la bibliothèque et la salle à manger du rez-de-chaussée.

— Où sont les chambres des domestiques ?
demandai-je.

— Oh ! dans l'annexe, derrière les écuries !
Les domestiques ont une maison pour eux tout
seuls.

— Madame Conyers aussi ?

— Non. Elle a sa chambre au second, sur
le devant, à l'ouest. Cela suffit pour aujour-
d'hui, ajouta-t-elle. Allons nous promener à
cheval.

Et j'ajoutai :

— Vous n'avez pas envie d'aller au collège,
plus tard, faire des études supérieures ?

— Pourquoi ? Vous ne croyez tout de même
pas que mon père va me laisser faire quoi que
ce soit d'aussi... d'aussi ordinaire que de me
chercher un emploi ?

Sa voix avait un accent désolé qui me tou-
cha. Ma colère contre son père, sa stupidité, son
arrogance, s'accrut. J'en venais à me demander
pourquoi Alix ne se sauvait pas de chez elle.

Au milieu du grand hall, Alix attendait.

— Eh bien, dis-je, commençons la classe demain matin, à neuf heures !

— Alors, nous pouvons aller faire du cheval ?

— L'ennui, dis-je, c'est que je ne suis jamais montée à cheval. Je ne sais pas.

On ne pouvait pas se tromper sur sa mine réjouie en entendant mon aveu.

— Oh ! dit-elle. Eh bien, au revoir, au dîner !

Elle se dirigea vers le fond du hall et la porte de derrière.

— Alix ! appelai-je.

Mais je n'eus pour toute réponse que le claquement de la porte qui se refermait.

Je montai l'escalier. J'avais l'impression, pour la première fois de ma vie, d'avoir entrepris quelque chose qui pourrait se révéler à la fois plus difficile et plus compliqué que je ne m'en étais rendu compte.

Après tout ce qu'elle m'avait dit sur le peu de cas qu'elle faisait de l'étude, je n'attendais rien de bon d'Alix le lendemain matin. A neuf heures pile, elle me conduisit à la grande pièce du premier qui avait été aménagée en salle de classe, et nous inaugurâmes la partie studieuse de nos relations.

Surprise supplémentaire : elle se révéla plus avancée, du point de vue scolaire, que je ne m'y étais attendue. Il me fallut un bon moment pour comprendre que c'était exactement à cela qu'elle voulait en venir : rassurée par son niveau scolaire, je serais moins exigeante.

— Vous êtes une maligne, n'est-ce pas ? dis-je, au milieu d'une version latine, exercice dans lequel elle se révélait assez bonne.

Elle me regarda d'un air innocent, mais je ne m'y laissais plus prendre.

— Vous savez très bien ce que je veux dire, Alix Darcourt. Toutes ces histoires que vous m'avez racontées pour me faire croire que vous étiez une nullité, du point de vue de vos études !

— Oh ! cela !... fit-elle négligemment.

Puis, elle sourit.

— Oui, cela, mademoiselle sainte-nitouche !

Nous nous mîmes à rire, toutes les deux. Mais je me promis d'être plus vigilante. On me menait assez facilement en bateau, et Alix était visiblement experte à ce jeu.

Distraitement, elle touchait son visage, juste au-dessus de la mâchoire. Quand elle retira son doigt, je remarquai une tache ronde, rougeâtre, que je n'avais pas encore vue.

— Vous êtes-vous fait mal ? demandai-je.

— Non. J'ai une sorte d'eczéma. Le docteur McIntyre dit que ça devrait finir par disparaître tout seul. Il me soigne en me donnant des vitamines. Je parie que vous n'aviez pas remarqué ces taches ?

Elle affectait de plaisanter, mais je sentais une nuance d'anxiété dans sa voix.

— Tous les adolescents ont des taches ou des ennuis de ce genre. Ça va avec l'âge, lui répondis-je afin de la rassurer.

— Je sais. Mais pas ce genre d'eczéma. A la dernière école où je suis allée, l'infirmière voulait m'emmener voir je ne sais quel spécialiste ; mais, à ce moment-là, il a fallu que je m'en aille, si bien que tout est tombé à l'eau.

— Pourquoi a-t-il fallu que vous quittiez l'école ? demandai-je, intriguée.

— Je ne sais pas, dit-elle, évitant mes yeux. Je ne m'y plaisais pas beaucoup. Continuons donc ce maudit latin.

Mon instinct de journaliste était en alerte.

— Quelle école était-ce ? demandai-je, aussi négligemment que je le pus.

— Randolph..., commença Alix.

Puis, elle me regarda, avec une méfiance soudaine.

— Pourquoi voulez-vous le savoir ? Je n'y suis pas restée bien longtemps.

— Parce que j'ai des amies et d'anciennes camarades qui enseignent dans divers établissements et que je me disais que vous auriez pu en avoir eu une comme professeur.

Le mensonge m'était venu tout naturellement. Cela me semblait même une explication si raisonnable que je ne m'attendais vraiment pas à la réplique qu'Alix me lança d'une voix dure et coléreuse :

— Pour que vous puissiez leur écrire, pour savoir pourquoi j'ai quitté l'école, je suppose ?

— Qu'allez-vous penser là ? dis-je, avec le calme que sa nervosité provoquait toujours en moi. D'ailleurs, qu'y a-t-il de si mystérieux dans la façon dont vous êtes partie ?

Il n'était plus question pour elle d'éluder.
Il m'apparaissait maintenant à l'évidence qu'il
y avait eu quelque chose d'anormal dans son
départ. Finalement, Alix déclara d'un ton bou-
deur :

— Papa a dit que c'était à cause d'une
bande d'idiotes qui se mêlaient de ce qui ne les
regardait pas et qui ne savaient pas mener leur
méchante école...

Elle paraissait si malheureuse que je me
résignai, contre tous mes principes, à ne pas la
presser de questions.

— C'est bon, Alix. Passons un peu à l'histoire.

Elle referma volontiers le livre de latin et
ouvrit son manuel d'histoire ; mais elle restait
curieusement rigide, à le regarder fixement.

— Alix ? dis-je doucement.

Je fus saisie de la voir exploser. Les mots
sortaient de sa bouche comme si un bouchon
avait sauté :

— Tout cela, c'était la faute de cette infirmière infâme. Quand elle a vu une tache comme
ça sur ma figure (son doigt remontait vers la
marque), elle a voulu savoir ce que c'était et
depuis combien de temps je l'avais, et elle a
dit que ça avait une drôle d'allure, et elle a
voulu m'emmener chez un médecin, à Washing-
ton. Alors, j'ai écrit à mon père pour lui dire
ça. Et, une semaine plus tard, il est arrivé à
l'improviste et il m'a ramenée chez nous.

Alix, bien lancée continua à déverser ses
doléances :

— Et puis, mon père m'a réprimandée, quand je suis rentrée à la maison, parce que je n'avais pas pris mes pilules vitaminées. J'avais oublié de dire à mon père que l'infirmière me les avait confisquées. L'infirmière disait que tous les médicaments devaient être administrés dans son cabinet.

— Votre médecin de famille vient-il vous voir souvent ? S'il n'a pas d'autres malades que les gens de l'île, son travail doit être une siné-cure, dites donc ! Un peu comme le poste de l'in-firmière dans votre école.

— Elle avait été infirmière des missions dans une île du Pacifique, en Afrique, et elle y avait attrapé je ne sais quelle maladie tropi-cale. Alors, on lui avait donné cet emploi un peu à titre de cure de repos, parce que c'était une ancienne camarade de la directrice, ou qu'elle venait du même village.

— Bon, retournons à nos livres, dis-je. Mais, si j'étais à votre place, Alix, je ne frotterais pas tant cette tache. Elle pourrait s'infecter.

Alix me fit une grimace mais laissa retom-ber sa main. Nous nous consacrâmes au manuel d'histoire.

Le reste de cette semaine se passa sans aucun incident remarquable.

Lorsqu'il faisait beau, Alix essayait de se soustraire à l'obligation de rester entre quatre murs. Mais, une fois convaincue qu'elle ne pourrait pas me persuader, d'une façon ou d'une autre, de renoncer au travail du matin, qu'il fasse gris ou soleil, elle accepta cette discipline sans trop faire d'embarras.

— Où avez-vous puisé tous ces talents mathématiques ? lui demandai-je un jour, à la fin d'une de nos séances du matin.

— Cela me vient de papa, bien entendu, répondit-elle, soupirant. Où voulez-vous que j'aie pris cela, autrement ? Vous savez qu'à l'examen de sortie d'Annapolis, mon père a obtenu une des plus fortes notes jamais données en maths ? N'empêche que je préférerais de beaucoup être brillante sur d'autres points.

— Lesquels, par exemple ?

Elle s'étira.

— J'aimerais être séductrice.

— Je crois que ce serait plutôt au théâtre que vous auriez vos chances, rétorquai-je. D'ailleurs, qui pourriez-vous séduire dans cette île ?

Elle me jeta un regard sournois.

— Oh ! j'ai un bon ami !

— Dans l'île ? demandai-je, incrédule.

— Pourquoi pas ? répliqua-t-elle, haussant les. épaules. Ou même ailleurs.

Je regardai ses paupières baissées.

— Sortez-vous souvent de l'île ? demandai-je, affectant la négligence.

— Vous voudriez bien le savoir, hein ! Terry, repartit-elle ; et mon père et la vieille Connie voudraient bien le savoir aussi.

— Certainement, eux comme moi. Et, comme je suis ici à titre d'institutrice-demoiselle de compagnie, je pense qu'il est de mon devoir de le savoir. Si je ne m'en préoccupais pas, votre père aurait tout à fait raison de penser que je ne fais pas bien mon métier.

Elle haussa les épaules, avec affectation.

— Eh bien, cherchez, et trouvez, si vous en êtes capable. Je vais vous donner une indication : il est blond.

Soudain, je me rappelai le jeune homme blond en moto qui m'avait expédiée sur le chemin bourbeux de Saint-Damien.

— Des cheveux blonds raides et rejetés en arrière, avec un cran sur le devant ? demandai-je vivement, observant attentivement son visage.

Mais elle baissait les yeux sur ses livres qu'elle était en train de rassembler. Puis, elle se leva.

— La classe est terminée, dit-elle d'un ton espiègle. Je vais me promener à cheval. Dommage que vous ne montiez pas !

Et, sur un au revoir de la main, elle s'en alla.

C'était plus que dommage, en effet ! J'avais de plus en plus d'occasions de le regretter à mesure que les jours passaient. Parce que, lorsque Alix n'était pas à l'étude du matin, et en dehors des repas, elle filait, soit dans son grenier, soit à cheval — dans les deux cas hors de

ma portée ; de la portée de n'importe qui
d'ailleurs.

Puis, à mesure que le temps passait, que la
deuxième semaine de mon séjour s'écoulait,
puis la troisième, je commençai à remarquer
qu'Alix s'agitait de plus en plus, et de plus en
plus tôt, vers la fin de nos classes. Elle se levait,
tournait en rond dans la pièce, faisait tomber
ses crayons. Ce petit manège commençait de
plus en plus tôt à mesure que les jours passaient.

— Que se passe-t-il, Alix ? lui demandai-je,
un matin qu'elle déambulait dans la pièce.

— Je préférerais sortir sur Brutus. Et puis,
à quoi tout cela sert-il, de toute façon ? Mon
père ne me laissera jamais aller au collège. Et
puis, je me moque des diplômes d'enseignement
secondaire ! dit-elle avec humeur. J'aimerais
tout autant faire n'importe quoi. Etre serveuse
de restaurant, par exemple.

— J'ai travaillé comme serveuse pendant
deux étés. Je vous assure que c'est rudement
lassant — tant pour vos pieds que pour votre
amour-propre.

— Je m'en moque ! répliqua-t-elle, haussant les épaules. Je m'en moque ! Quelle heure
est-il ?

— Il est onze heures, juste passées. Eh bien,
disons que la classe est terminée pour ce matin.

Je m'attendais à la voir démarrer comme
une fusée. Elle resta quelques instants figée
par la surprise.

— Vous êtes libre, précisai-je. Allez ! Décampez !

Elle sourit alors, de ce sourire éblouissant qui faisait resplendir son visage.

— Terry, vous êtes un amour !

Elle s'approcha de moi, me jeta les bras autour du cou, puis s'en alla.

Susie et moi allâmes jusqu'à la petite jetée sur laquelle nous nous assîmes pour nous reposer un moment. Même par temps sec et clair, Saint-Damien n'apparaissait que comme une tache brouillée, à l'horizon. On ne voyait nulle trace du maussade Petersen et de son bateau.

Je ne pourrais pas dire combien de temps je passai ainsi sur la jetée. Mais, tout d'un coup, je fus saisie de l'idée que l'île était terriblement solitaire, coupée du monde. En supposant que j'eusse envie d'en sortir, qu'il me faille en sortir vite, comment m'y prendrais-je ?

Dès que cette question me fut venue à l'esprit, il me sembla stupéfiant que je n'y eusse pas encore pensé. La réponse était tellement évidente : je ne pourrais rien faire ! Cette prise de conscience me fit frissonner. Je me levai.

— Viens, Susie, dis-je. C'est l'heure du déjeuner.

Nous nous engageâmes dans la forêt, si épaisse en certains endroits que le soleil disparaissait complètement. Nous marchions depuis quelque temps quand la chienne s'arrêta, aboya, gronda puis gémit.

— Qu'y a-t-il, Susie ? murmurai-je.

Son grondement devint plus fort.

Puis, comme elle se taisait momentanément, j'entendis une sorte de froissement. Je regardai les buissons, les arbustes, tout ce sous-bois qui cachait les troncs des arbres. Le froissement s'arrêta. Puis, comme en réponse à quelque signal invisible, cela recommença.

Ce fut à ce moment-là que je me rappelai les allusions d'André aux formes les plus répugnantes de la faune de l'île : araignées venimeuses, serpents, scorpions. Il pouvait y avoir aussi des bêtes plus grosses.

Je me hâtai de me baisser et de ramasser Susie, à sa grande fureur. Elle se déchaîna en aboiements de protestation. Je lui couvris le museau de ma main.

— Tais-toi ! lui dis-je.

Puis, je m'immobilisai et dressai l'oreille. Le silence était total. Tout était tranquille. Susie elle-même avait cessé de se débattre frénétiquement dans mes bras et reposait tranquillement contre moi. Je sentais simplement les battements rapides et réguliers de son cœur contre mon chemisier.

J'en venais à me demander si je ne devenais pas folle. Mais, en tout cas, l'impression que j'avaie eue d'être surveillée, épiée, se transformait, lentement, en conviction. Et, en regardant bien les ombres du sous-bois, autour de moi, il me sembla même que j'apercevais, quoique de façon indistincte, la personne qui m'épiait. Si c'était bien une personne... Il y avait en tout cas une forme, ou un jeu d'ombres, debout, derrière un buisson bas, à côté d'un arbre.

Puis, la brise fit bouger les branches des arbres, et je me demandai si je ne souffrais pas d'hallucinations.

Et puis, tout se précipita. J'entendis une branche craquer, comme sous un pas.

— Qui est là ? m'écriai-je.

Susie, galvanisée, m'échappa, sauta à terre, aboyant, et fonça droit en avant. J'entendis des bruits d'autres branches qui craquaient, des feuillages remués.

— Susie ! criai-je. Reviens !

Je m'élançai à mon tour dans les buissons, derrière elle, effrayée par l'inconnu que j'avais cru distinguer, mais encore plus effrayée pour Susie. J'entendais quelque chose — ou quelqu'un — se déplacer devant moi.

— Susie ! appelai-je à nouveau.

Je me frayai un passage au travers des buissons et des arbustes, obsédée par ce bruit lourd qui s'éloignait, comme reculant devant moi. Soudain je me pris le pied dans une racine et m'étalai de tout mon long.

Je ne sais vraiment pas si je fus réellement assommée sur le coup ou simplement étourdie. Mais, quand je me redressai, j'eus le vertige. Je portai la main à la tête : je constatai qu'une

grosse bosse était en train de gonfler au-dessus
de mon œil. Je la tâtais d'un doigt précaution-
neux quand j'entendis un bruit de pattes et
de feuilles remuées. Susie apparut, les oreilles
couchées en arrière, remuant la queue, avec,
dans sa gueule, une souris morte qu'elle m'ap-
portait comme une récompense. Elle la déposa
fièrement à mes pieds, remua la queue tendre-
ment et aboya.

Je me relevai lentement, soulagée de me
trouver à peu près intacte. Mais, une de mes
chevilles était douloureuse et paraissait enflée.

Je hâtai le pas — autant que je le pus. Quelques mètres plus loin, je retrouvai le chemin
carrossable, bien frayé, et qui, après l'obscurité
de la forêt, m'apparaissait comme un tunnel de
lumière. Je regardai ma montre : midi trente-
cinq. « Eh bien, pensai-je, résignée, j'espère
qu'ils auront l'idée d'envoyer la jeep ou de nous
garder au moins quelque chose de chaud pour
notre déjeuner ! » Avançant ainsi en clopinant,
il me faudrait plus d'une demi-heure pour
couvrir la distance qui nous séparait de la
maison.

A ce moment, j'entendis un bruit bienvenu
entre tous : celui de la jeep.

Elle arrivait derrière moi. J'appelai la
chienne qui revint en trottinant, toujours avec
sa souris, et je la pris dans mes bras. Puis
j'attendis, plus disposée à faire bon accueil au
maussade Petersen ou au brutal Norton que je
ne l'aurais cru possible.

Mais je n'avais jamais vu les deux hommes qui occupaient la voiture. Chose plus surprenante encore, le jeune homme qui conduisait portait le col rond des prêtres. Son compagnon était un homme d'une cinquantaine d'années, au visage carré, puissant, sous un crâne chauve : des yeux bleus brillaient derrière les lunettes à monture métallique. Il portait une sacoche noire sur ses genoux. Je n'avais pas besoin de présentations : ce ne pouvait être que le Dr McIntyre.

Le prêtre était un homme maigre qui, vu de près, ne paraissait pas aussi jeune que je l'avais pensé. Il s'arrêta à ma hauteur.

— Je suppose que vous êtes mademoiselle Le Breton, me dit-il. Pouvons-nous vous conduire jusqu'à la maison ?

— J'accepte avec grand plaisir, dis-je.

Je m'approchai de la jeep en boitillant. Le médecin ouvrit la portière.

Je m'installai à l'arrière.

— Que vous êtes-vous fait au pied ? demanda-t-il.

— Je me suis foulé la cheville.

— Pas de chance ! constata-t-il, pas autrement préoccupé apparemment. Vous feriez mieux de ne pas sortir des chemins.

— Je ne serais pas sortie si...

— Si quoi ? demanda le médecin, tournant la tête.

— Susie et moi, nous avons entendu quelque chose. Ma chienne a foncé dans les buissons. Alors, je l'ai suivie.

— Et il s'est révélé que c'était une souris.

— Je n'ai jamais entendu de souris faire autant de bruit.

Je sentais deux paires d'yeux sur moi : ceux du médecin, qui s'était tourné, et, reflétés dans le rétroviseur, ceux du prêtre.

— Ma foi, dit le médecin, se retournant, il y a beaucoup d'animaux sauvages par ici.

— C'est ce qu'on m'a dit.

Nous roulâmes quelques minutes en silence.

— Comment avez-vous su qui j'étais ? demandai-je. Vous avez procédé par élimination ?

Le prêtre sourit.

— A peu près. Vous savez, les nouvelles voyagent vite dans un petit pays comme Saint-Damien.

— Pourtant, il me semble que nous sommes tellement coupés du monde ici !

Il me regarda, dans le rétroviseur.

— De certains points de vue, c'est vrai. Mais il y a le téléphone et les bateaux. A propos, permettez-moi de faire les présentations : je suis le père Mark ; voici le docteur McIntyre.

— Oui, je l'avais deviné, dis-je, souriant un peu. J'ai beaucoup entendu parler de vous par Alix, docteur.

Il se tourna à moitié.

— Comment va-t-elle ? Prend-elle bien ses vitamines ?

— Je le suppose, docteur. Vous paraissez très convaincu de l'efficacité de ces vitamines ? remarquai-je.

— Oui, dit-il. Seriez-vous sceptique sur la question des vitamines ?

— Ma foi, dis-je, il m'est arrivé de me poser des questions.

— N'avez-vous pas lu d'articles sur le traitement par polyvitamines qu'on essaie pour diverses formes de maladies mentales dans certains hôpitaux psychiatriques, dans tout le pays ?

— Je pensais aux histoires que les vitamines ont causé à l'école d'Alix. Après tout, n'est-ce pas plus ou moins la raison pour laquelle monsieur Darcourt en a retiré sa fille ?

Le médecin s'était à demi retourné. Il me dit, par-dessus son épaule :

— C'est simplement que Tristan n'aime pas qu'on s'immisce dans les ordres qu'il donne. Ni lui ni moi ne désirions qu'un médecin inconnu, ignorant la totalité de son dossier, non seulement lui conseille d'interrompre sa cure de vitamines, mais peut-être lui prescrive un tranquillisant, ce qui eût été très mauvais pour elle.

J'avais mes idées personnelles et je n'allais

pas perdre cette occasion de les faire connaître, si j'avais une possibilité quelconque de trouver un appui auprès du médecin.

— Oui, dis-je. Mais je ne peux pas m'empêcher d'avoir l'impression, docteur, que l'instabilité d'Alix tient pour une bonne part à des causes psychologiques...

Je m'interrompis, regrettant de n'avoir pas le courage de préciser ce dont je parlais. Mais c'eût été vraiment de la témérité d'ajouter gratuitement des commentaires critiques sur mon employeur, qui lui seraient immanquablement rapportés. Le moment n'était pas venu, en tout cas. De façon assez brusque, le médecin termina pour moi :

— Le fait, par exemple, de ne pas avoir de mère et d'avoir un père apparemment dur et souvent absent ?

— Exactement, dis-je, surprise.

— Je suis entièrement d'accord avec vous, et je l'ai dit à Tristan. Mais vous devez savoir que les causes psychologiques ont des résultats physiologiques, et que des doses importantes de vitamines peuvent avoir — et ont — un effet anti-irritant.

— C'est vrai, dis-je.

Je me demandais pourquoi je me sentais encore insatisfaite de ces explications.

Nous nous arrêtâmes devant la porte de la maison. Le médecin descendit de l'auto et entra dans la maison. Je sautai de la jeep sur un pied, Susie sous mon bras.

— Merci, dis-je au prêtre.

Il tendit la main et gratta la tête de la chienne. Quelle jolie petite chienne ! Elle est remarquable de dignité et de sérénité.

Cette réflexion me rendit le prêtre sympathique, car il avait mis le doigt du premier coup sur les qualités essentielles de Susie.

— Oui, dis-je. Vous êtes un homme perspicace. Mais, vous n'entrez pas mon père ?

— Non. Je crois que je vais d'abord rendre visite à certains de mes autres paroissiens. Dites à Alix que je passerai cet après-midi, voulez-vous ?

— Je n'y manquerai pas.

Il esquissa un geste d'adieu et la voiture démarra.

Alix surgit derrière moi.

Elle s'agenouilla pour caresser la chienne que j'avais posée à terre.

— A propos, dis-je, j'ai une commission à vous faire. Le père Mark m'a demandé de vous dire qu'il vous verrait cet après-midi. Le docteur McIntyre et lui m'ont prise dans la jeep en traversant les bois, juste après que...

Alix leva les yeux, puis se mit debout.

— Après quoi ? demanda-t-elle.

— Eh bien, dis-je, choisissant mes mots avec soin, Susie et moi, nous nous sommes promenées, puis nous sommes revenues par les bois. J'ai cru entendre du bruit, comme si quelqu'un se déplaçait aux alentours. En voulant me rendre compte de ce qui se passait, je me suis pris le pied dans une racine. Je suis tombée. En me relevant, j'ai continué à avoir l'impression d'une présence proche. Je suppose, ajoutai-je, que c'était Judson ou Norton.

Alix se détourna et se dirigea vers la maison.

— Sans doute, dit-elle.

Je la rejoignis.

Le gong résonnait quand nous entrâmes. Le médecin nous rejoignit et s'assit à droite d'Alix, entre elle et moi, en face de Mme Conyers.

— Le père Mark ne déjeunera donc pas ? demandai-je, tandis que Stevens faisait passer un grand saladier de jambalaya — un plat délicieux de La Nouvelle-Orléans.

— Non, répondit le médecin. Il a apporté son sandwich. Il s'occupe des âmes dont il a la charge dans l'île.

Dès que le déjeuner fut terminé, Alix disparut avec le médecin. Je m'attardai au rez-de-chaussée, dans la bibliothèque, à lire un magazine qui venait d'arriver par le dernier courrier. Une heure plus tard environ, je montai. J'étais à mi-hauteur de l'escalier quand j'entendis Susie aboyer, puis gémir d'une façon suraiguë, comme je ne le lui avais entendu faire qu'en de très rares occasions.

Je montai le reste des marches quatre à quatre, aussi vite que ma cheville douloureuse me le permettait, pris le couloir et ouvris précipitamment ma porte.

La chienne avait acculé un scorpion énorme dans un coin. Dans peu de temps, l'animal allait foncer sur elle et la piquer.

Je restai figée une seconde. Puis, je courus empoigner la chienne et reculai. Le scorpion, n'ayant pas le moyen de battre en retraite, fonça sur nous. Je sortis en courant. Le médecin se trouvait justement dans le couloir.

— Docteur ! appelai-je, effrayée.

— Oui ? fit-il, l'air pas trop content. Qu'y a-t-il ?

— Un scorpion là-dedans ! Un énorme. Une seconde de plus, et il aurait tué Susie.

— Sottises ! rétorqua-t-il.

Et, passant devant moi, il entra dans la chambre.

J'eus peur un moment que le scorpion n'eût disparu ; puis je le vis se déplacer en travers du tapis.

— Oui, il est gros, dit le médecin sans s'émouvoir. Ce qu'il me faut, c'est un balai. Allez m'en chercher un, s'il vous plaît.

Quelques instants plus tard, j'étais de retour avec un balai.

Mon parti pris contre le médecin disparut entièrement quand je le vis régler son compte au scorpion et finalement lancer le cadavre de la bestiole par la fenêtre.

— Docteur McIntyre, dis-je, je sais qu'il y a beaucoup d'animaux sauvages dans l'île. On n'a cessé de me le répéter. Je comprends qu'ils puissent entrer et sortir librement dans un bungalow au rez-de-chaussée. Mais comment peuvent-ils monter jusqu'ici ?

— Ils montent par les murs et les canalisations, expliqua-t-il.

— Eh bien, voilà qui est agréable ! dis-je. Cela vous donne tout de suite une impression de sécurité.

Il avait un air assez sévère, mais, après m'avoir regardée, il dit plus aimablement :

— Ne vous inquiétez pas. C'est très rare. Il est peu probable que vous ayez à en souffrir à nouveau. Je vais ranger ce balai en passant.

Sur le pas de la porte, il hésita.

— Comme je vous le disais, ne vous inquiétez pas. Je peux presque garantir que cela ne se reproduira plus. Au revoir, mademoiselle Le Breton.

Il referma la porte sèchement.

Je voulus m'assurer qu'il n'y avait pas d'autres spécimens de la chère faune sauvage de l'île dans ma chambre. Après avoir examiné soigneusement la chambre et la salle de bains, avoir bien regardé tout le plancher, je vis le volant soulevé, au bas du couvre-lit.

Je déposai Susie sur le lit. Puis, je pris ma lampe de poche et soulevai le volant.

Une boîte à chaussures avait été glissée sous le lit, repoussée à plus d'un mètre. Je tendis le

bras, l'attirai vers moi — puis sautai en arrière
en poussant un cri. A l'intérieur de la boîte se
trouvaient les restes d'un second scorpion.

Sans être entomologiste, je devinais que le
premier scorpion avait attaqué, tué et partiellement dévoré le second. J'eus la nausée. Tenant
la boîte à bout de bras, j'allai à la fenêtre et fis
tomber dehors les restes de l'animal. Que faire
de la boîte ? Ce n'était pas un souvenir bien
agréable.

Comme je la retournais, je remarquai les
trous percés au bas des côtés de la boîte, tout
autour, et dans le couvercle.

Je restai là longtemps, la boîte en main, à
réfléchir. Quelqu'un tenait beaucoup à m'écarter de son chemin.

CHAPITRE VII

Après y avoir réfléchi, je décidai de ne pas ébruiter l'affaire de la boîte à chaussures. Peut-être était-ce de la superstition, mais j'avais l'impression qu'en criant sur les toits que quelqu'un essayait de se débarrasser de moi, je risquais simplement d'inciter l'inconnu à redoubler d'efforts pour le faire.

Si tout le monde était au courant de cette première tentative, on s'attendrait à une seconde, et la personne qui s'était amusée à ce petit jeu se sentirait presque obligée de recommencer.

Peut-être le médecin colporterait-il l'histoire du scorpion. Mais, comme il n'avait semblé rien trouver d'anormal à ce que des scorpions pénétrassent dans ma chambre sans que personne les y aidât, il n'y ajouterait sans doute que quelques commentaires ironiques sur la facilité avec laquelle une « étrangère » s'effarouchait devant les spécialités locales, et son récit ne tirerait pas à conséquence — du moins pour toute personne autre que celle qui avait placé les scorpions dans la boîte à chaussures et les avait glissés sous mon lit. Je pouvais espérer que l'inconnu — ou l'inconnue —, dépité de voir que j'avais été simplement ennuyée et dégoûtée de trouver ces bestioles répugnantes dans ma chambre et que je n'avais pas compris ce qu'on avait voulu me faire comprendre, renoncerait à essayer de me faire déguerpir.

Mais, ne risquait-il pas, plutôt, de faire une nouvelle tentative ?

J'avais beau faire, mes réflexions logiques aboutissaient à des conclusions fort désagréables, d'autant que plus j'essayais de dresser la liste des personnes qui pouvaient avoir intérêt à mon départ, plus je devais m'avouer que je ne pouvais faire confiance à personne — pas même à Alix.

Certes, je compatissais à sa solitude, à la façon dont son père la tenait pratiquement prisonnière, à l'isolement dans lequel elle vivait, coupée du monde réel ; je mettais ses sautes d'humeur au compte des conditions dans lesquelles elle avait été élevée ; mais je devais bien reconnaître qu'elle était fort capricieuse et que ses réactions étaient imprévisibles.

J'en eus un exemple vers la fin de nos cours du matin, le lendemain du jour où j'avais trouvé le dangereux arthropode. Je racontais à Alix que j'avais découvert un scorpion dans ma chambre (sans lui parler de la boîte à chaussures, bien sûr) et je m'attachais à faire ressortir le danger d'une telle piqûre pour un chien aussi petit que Susie.

— Allons donc ! se récria Alix. Susie n'est pas assez sotte pour s'attaquer à un scorpion !

— Détrompez-vous. Elle avait déjà acculé la maudite bestiole dans un coin de la chambre quand j'y suis montée.

— Il me semble que vous vous faites une montagne d'une taupinière. C'est simplement que vous n'avez pas l'habitude de nos...

— Ne venez pas encore me rebattre les oreilles avec la faune de la réserve, coupai-je, ou je vous lance mon livre à la tête. J'en ai assez d'entendre parler de la protection de la nature. J'ai parfaitement compris le raisonnement de votre père quand il m'a dit qu'il avait transformé la moitié de l'île en réserve naturelle ; mais, si cette réserve n'a pour résultat que d'entretenir des bestioles aussi dangereuses et aussi envahissantes, je finis par me demander s'il ne vaudrait pas mieux assainir le coin et y construire des logements sociaux !

La lèvre d'Alix se retroussa dans une moue méprisante.

— Les scorpions sont comme ils sont. Pour qui vous prenez-vous pour vouloir bouleverser les équilibres naturels ?

— Je trouve normal que les lions pourchassent les herbivores et se repaissent de leur chair ; mais je n'irai pas pour autant en élever un dans mon jardin et envoyer Susie faire joujou avec lui.

— Pourquoi me racontez-vous tout ça ? demanda Alix, haussant les épaules. Vous figurez-vous que c'est moi qui ai mis ce scorpion dans votre chambre ?

Je la regardai bien en face.

— Est-ce vous qui l'y avez mis ?

— Non. Et je trouve fort désagréable que vous me demandiez cela.

— Etant donné que vous paraissez considérer toute l'affaire comme une bonne plaisanterie, je ne vois pas pourquoi vous vous sentiriez insultée par ma question.

Elle haussa les sourcils dans une mimique qui commençait à m'être familière.

— Vous ne croyez pas que vous oubliez un peu la position que vous occupez ici, Terry ? Vous êtes mon institutrice-demoiselle de compagnie. Vous n'avez pas à me donner des leçons de morale.

Du coup, ce fut moi qui refermai le livre que j'avais devant moi.

— Alix, dis-je, très calme, ne me parlez plus jamais sur ce ton-là ; n'employez plus jamais de mots comme ceux-là avec moi. Je ne suis ni votre servante, ni votre esclave, ni celle de votre père. Vous auriez beau avoir cinquante fois plus d'argent qu'il n'y en a dans le trésor national ou être apparentée à toutes les familles du Gotha que cela n'y changerait rien. Réveillez-vous, Alix. Le monde a changé !

Je me levai.

— Je vais faire une promenade, dis-je. Vous êtes libre d'aller faire du cheval ou tout ce qu'il vous plaira.

Et je sortis, emmenant la chienne en promenade — mais prenant garde, cette fois, de ne pas m'écarter des chemins tracés.

Il ne fut pas question de cet incident au déjeuner, car Mme Conyers était là, et sa présence restreignait toujours la liberté de nos propos. Mais, le lendemain matin, Alix me fit ses excuses, mue, je pense, par des sentiments complexes : un reste de bonnes manières ; une contrition authentique ; l'impression aussi qu'elle était allée trop loin. J'acceptai donc ses excuses et ne lui gardai pas rancune de son éclat. Après tout, me disais-je, elle n'était pas responsable de son éducation. La faute incombait à son père, et peut-être à sa mère absente.

Mes sentiments à l'égard de cette dernière étaient aussi complexes que les mobiles d'Alix : sympathie pour une femme qui n'avait pu se résoudre à vivre avec le despote qu'elle avait pour mari, malgré la force contraignante de la présence physique de Tristan Darcourt ; mais condamnation de la femme qui avait abandonné sa fille à l'autorité stricte et étouffante de ce mari.

Quand Alix m'eut présenté ses excuses, nous nous retrouvâmes au point où nous en étions initialement, du moins pendant quelques jours. Alix retrouva son intérêt pour les Tudors, sa facilité pour les mathématiques et pour le latin. Nos cours, qui commençaient à manquer d'entrain, redevinrent plus intéressants. Quant à moi, libérée de préoccupations plus urgentes, je tournai à nouveau mon attention vers les énigmes à cause desquelles j'étais venue ici : pourquoi Darcourt avait-il rejeté ma mère ; pourquoi s'entourait-il d'un tel secret ? Et qu'y avait-il derrière ses opérations commerciales ?

Des deux mystères, le premier, celui qui concernait ma mère, paraissait tout à la fois le plus malaisé et le plus facile à éclaircir. Plus facile parce que le sujet était simple et personnel ; plus malaisé parce qu'il faudrait probablement que je cherche la lumière dans les commérages des familiers ou des domestiques : or, chez les Darcourt, les domestiques, à l'instar de Mme Conyers, gardaient leurs distances et étaient discrets.

Quant aux affaires des Darcourt, il était plus facile d'en avoir les premiers renseignements dans les ouvrages de référence habituels et dans les rapports des agences gouvernementales spécialisées. Malheureusement, je ne m'y connaissais guère dans ce genre de questions. En outre, je ne savais même pas ce que je devais chercher. Quand bien même, par quelque miracle, je me serais trouvée seule avec tous les registres de toutes les sociétés du trust Darcourt, j'aurais été incapable d'y reconnaître la trace de manipulations, et même de détournements de fonds purs et simples, à moins qu'on ne me mît le doigt dessus. J'avais demandé à Brian comment je pourrais m'y prendre. Sa réponse n'avait été ni rassurante ni constructive.

— C'est difficile à dire tant qu'on ne tombe pas directement dessus, avait-il expliqué.

— Voilà qui me sera bien utile !

— Dame ! c'est vous qui avez eu l'idée de vous rendre là-bas, Sally ! Si j'avais le choix, je préférerais envoyer un expert des questions financières qui saurait flairer les fraudes, fausses déclarations ou « traficotages » avec les gens des émirats... Mais, j'ai comme une idée que vous ne m'avez pas tout dit de vos intentions réelles. Ai-je raison ?

— Oui.

— Et vous ne voulez pas me dire de quoi il s'agit ?

— Non. Pas avant d'avoir trouvé ce que je cherche — en dehors des histoires financières — ou tout au moins quelques éléments déjà.

— Parfait. Je n'insiste pas, du moment que vous me promettez l'exclusivité pour ce que vous dénicherez.

— Bien entendu, assurai-je, souriante. L'exclusivité est la contrepartie de votre promesse de donner la première place à mon article dans votre revue.

— Un peu arriviste sur les bords, hein ! petite Sally ?

Je le regardai bien dans les yeux.

— Pas du tout ! assurai-je.

— Entendu. Tenez-moi au courant.

Mais j'avais sous-estimé les difficultés de ma tâche. Il faut dire que je n'avais guère l'habitude des gens aussi riches. Je m'étais attendue à un personnel plus nombreux, plus porté à cancaner, beaucoup plus susceptible de se laisser corrompre. Compte tenu de la taille de la maison, il y avait étonnamment peu de domestiques, et je ne les voyais guère.

Je n'avais même pas pu téléphoner à Brian pour lui faire savoir que j'étais toujours vivante et que je continuais mes recherches. Il y avait, bien entendu, quantité de postes téléphoniques dans la maison, mais je ne voulais pas me risquer à les utiliser, craignant qu'ils ne fussent surveillés.

Cela faisait plus d'un mois que je me trouvais dans l'île, et je n'avais encore eu aucun contact avec l'extérieur. J'avais pensé que j'aurais des occasions de me rendre à Saint-Damien bien avant cela. J'avais visiblement sous-estimé l'éloignement de l'île Darcourt et le fait que les gens de la maison en sortaient vraiment très rarement.

Je retrouvai l'impression que j'avais eue, lorsque, de la jetée, j'avais réfléchi à mon isolement, lorsque je m'étais rendu compte que je n'avais aucun moyen de m'évader de l'île, le cas échéant.

Ce n'était pas une idée agréable. Je me demandai si je ne pourrais pas tout bonnement déclarer que je prenais une journée de liberté et commander la jeep, Petersen et le bateau. Ce n'était pas impossible, et je n'avais vraiment aucune raison de penser qu'on m'opposerait un refus. Cependant, cela risquait pour le moins d'attirer l'attention sur moi, et je n'y tenais pas.

Il y aurait bien eu une autre solution : emmener Alix à Saint-Damien pour une sortie d'une journée. Seulement, son père l'avait formellement interdit. En fin de compte, mon horizon était beaucoup plus borné que je ne l'avais escompté. Je commençais à souffrir de claustrophobie.

Je retournais ces diverses situations dans ma tête quand les choses évoluèrent, en pis. L'agitation d'Alix, que j'avais crue temporaire, — mettant cela au compte du mal que la jeune fille avait à s'habituer à moi, — reparut brusquement du jour au lendemain. Un matin, Alix s'était intéressée au cours, s'était montrée coopérative, avait discuté de façon pertinente les sujets que nous traitions. Le lendemain, elle était agitée, inattentive, à ne pas prendre avec des pincettes, tour à tour languissante et hypernerveuse.

— Qu'avez-vous donc ? demandai-je.

— Rien ! répliqua-t-elle, sur la défensive.

— Alors, continuons notre travail.

Elle haussa les épaules, se consacra peut-être cinq minutes au travail en question, puis laissa tomber son crayon ; elle le ramassa, alla à la fenêtre.

— Vous attendez quelqu'un ? demandai-je.

— Non.

Elle revint, attira sa chaise d'un geste violent, s'assit.

— Quand votre père doit-il revenir ?

— Vous en savez autant que moi là-dessus.

Ma foi, si elle était de cette humeur-là, je

n'allais pas perdre mon temps à essayer de
l'amadouer.

— Très bien, dis-je. Passons au chapitre
suivant.

J'avais essayé de me montrer compréhensive
et de découvrir ce qui n'allait pas pour lui
donner mon aide si je le pouvais. Mais l'expérience que j'avais acquise à l'orphelinat, mon
instinct profond et ce que je savais déjà d'Alix,
tout indiquait que, dans son état actuel, elle
n'était accessible qu'aux arguments autoritaires
et à la discipline.

Je constatais avec regret cette nouvelle
confirmation du jugement arbitraire que son
père avait porté sur elle, mais je n'y pouvais
rien. Je résolus de faire semblant d'ignorer la
comédie qu'elle me jouait et je continuai obsti-
nément, comme si ses manières n'avaient pas
du tout changé. Je trouvais cela fort pénible,
mais je n'allais pas le lui montrer. Et je tins
bon jusqu'à midi. Elle quitta la salle de classe
en claquant la porte derrière elle, après avoir
déclaré qu'elle sortait à cheval et qu'elle ren-
trerait en retard pour le déjeuner.

J'en informai Stevens, qui accepta la nouvelle philosophiquement, et j'emmenai ma
chienne faire un tour.

Lorsque nous nous retrouvâmes autour de
la table du déjeuner, — nous y étions seules,
toutes les deux : Mme Conyers avait fait dire
qu'elle ne se sentait pas bien, — je demandai à
Alix :

— Avez-vous fait une bonne promenade ?

— Oui, merci.

— Où êtes-vous allée ?

— Oh ! par là... !

Visiblement, elle ne voulait pas m'en dire plus. Je surpris un regard de biais qui me donna à penser qu'elle se complaisait à me faire marcher et à éluder mes questions. Je changeai donc de conversation.

Cet après-midi-là, après l'heure officielle de la sieste, elle ne se montra pas dans la salle de classe où nous avions pris l'habitude de nous retrouver avant d'aller nous promener ou simplement pour bavarder. Elle n'était pas dans sa chambre non plus. Je me demandai si je devais monter à son grenier.

Finalement, j'y grimpai. La porte était fermée à clef. Ennuyée d'être obligée d'en venir à pratiquer ce raccrochage, je frappai assez fort contre le panneau. Pas de réponse. Je descendis alors à l'écurie. Duncan me dit qu'Alix était sortie, immédiatement après le déjeuner. Elle ne revint que juste avant le dîner.

Dans un sens, elle avait le droit de faire ce qu'elle voulait du temps où elle n'était pas censée être avec moi dans la salle de classe. Mais je savais que, si son père m'avait engagée, ce n'était pas simplement pour la préparer à un examen d'entrée au collège. Il m'avait déclaré qu'il désirait que je fusse pour elle une demoiselle de compagnie et, si possible, que je devinsse son amie. Je n'y parviendrais certainement pas si elle m'évitait — comme il était évident qu'elle le faisait.

Patience, Sally ! me dis-je, sachant que l'impatience était un de mes plus grands défauts. Alix avait déjà eu une de ces passes de mauvaise humeur, et elle en était revenue. Cela pouvait se reproduire. J'aurais bien eu envie de prendre les devants pour l'aider à me revenir, mais cette impulsion était freinée par le sentiment très vif que c'était justement de cette façon-là qu'elle manipulait les autres. Je n'allais pas me laisser prendre à ce jeu.

Aussi, cette étrange épreuve de force se prolongea-t-elle : l'agitation, la nervosité, les vagabondages continuaient.

— On ne peut vraiment pas dire que vos pilules vitaminées vous calment, lui dis-je sèchement, un matin.

— Ce n'est pas pour cela qu'on me les donne. C'est pour ma peau.

D'un geste machinal, elle porta la main à son visage. Je m'étais abstenue de lui parler d'une nouvelle tache ronde, légèrement indurée, que j'avais remarquée et qui, malgré le maquillage sous lequel elle essayait soigneusement de la camoufler, apparaissait plus nettement à la fin d'une matinée agitée.

— Est-ce cela qui vous ennuie ? demandai-je gentiment.

J'avais toute la compréhension possible pour les tourments d'une adolescente aux prises avec ce qu'elle estimait être un problème physique essentiel. J'avais toujours été apitoyée par les filles de l'orphelinat qui se détestaient elles-mêmes parce qu'elles se trouvaient trop grosses, ou trop maigres, ou parce qu'elles avaient des boutons, ou parce qu'elles ne savaient pas comment croiser leurs jambes. A part ma très petite taille, je n'avais jamais eu de ces infirmités de jeunesse ; mais le fait d'être la fille d'une très jolie femme me permettait un peu de comprendre ce genre de problèmes.

Elle retira précipitamment sa main.

— Non, bien sûr que non. C'est simplement à cause de mon âge.

— C'est ce que vous a dit le médecin ?

— Oui. Il assure que cela disparaîtra avec le temps.

Je n'avais décidément pas une très haute opinion de la compétence du médecin.

— Mais, insistai-je, essaie-t-il vraiment de vous faire passer cela ?

Elle haussa les épaules.

— Il gratte les taches et il emporte ce qu'il appelle ses frottis sur des lamelles de verre, pour les examiner au microscope.

Je préférai ne pas dire que cela me semblait relever du comportement d'un charlatan qui veut se donner des airs d'être à la page.

Ce n'était pas grand-chose, sans aucun doute, mais je fus frappée de l'air qu'avait Alix pour me répondre. Un air effrayé.

— Mais..., commençai-je.

— Au revoir, au déjeuner ! coupa Alix, qui fila sans me laisser achever.

Je regardai ma montre : midi moins dix. Enfin, c'était presque l'heure normale de la fin du cours...

Quelques jours plus tard, avant qu'elle eût eu le temps de me mettre devant le fait accompli de ce que j'en étais venue à appeler son « évasion », je proposai :

— Que diriez-vous d'une promenade ?

— A pied ? Vous avez déjà vu des gens qui aiment se promener à pied ?

— Oui. Moi.

Elle me gratifia d'un de ses petits sourires insolents qu'elle se permettait de temps en temps et riposta :

— Que diriez-vous d'une promenade à cheval ?

Je sentis la colère me prendre, mais je répondis d'une voix assez calme :

— Je vous ai dit que je ne savais pas monter à cheval, Alix.

— C'est grand dommage ! dit-elle.

J'eus l'impression très nette de recevoir un double message : les mots exprimaient un regret conventionnel, mais le ton sur lequel ils étaient dits ne laissait pas de doutes sur le fait qu'elle se moquait de moi et qu'elle voulait que je le sache.

Du calme, me dis-je ! Elle te tend un hameçon... Pendant que je réfléchissais, Alix reprit un peu sur le même ton :

— Peut-être que Connie aimerait se promener à pied, elle ? Pourquoi ne le lui proposez-vous pas ?

— Parce que, aussi étrange que cela puisse vous paraître, — et je vous assure qu'en ce moment, je suis la première surprise de ma préférence, — je préférerais me promener avec vous.

Comme je l'avais espéré, mon ironie ne pouvait lui échapper.

— Mon père ne m'a pas acheté Brutus pour que je le laisse dormir à l'écurie, dit-elle sèchement. Si je ne lui fais pas faire un peu d'exercice, je ne pourrai plus le tenir la prochaine fois que je le sortirai.

— Et les autres chevaux ? Ils ne deviennent pas impossibles à tenir, eux ?

— Oh ! Duncan leur fait prendre de l'exercice ! Moi aussi, de temps en temps. C'est pour cela que je sors si souvent.

— Votre père m'a dit qu'il ne voulait pas que vous alliez faire du cheval de l'autre côté de la clôture, dans le marécage.

Elle haussa ses sourcils blonds.

— Qui a dit que j'allais là-bas ? J'ai tout le terrain nécessaire de ce côté-ci de la clôture.

— Je ne dis pas que vous le faites. Mais je vous pose la question, Alix. Pénétrez-vous dans la zone interdite en traversant ou en franchissant la clôture ?

Elle me gratifia d'un sourire espiègle.

— Bien sûr que non, dit-elle.

Encore le double message ! Ses mots disaient qu'elle ne franchissait pas la clôture. Son ton m'apprenait qu'elle mentait et qu'elle se réjouissait fort de me voir aussi impuissante et gênée. Je soutins son regard sans broncher. Puis, un instant, je vis passer sur son visage quelque chose à quoi je pus à peine croire : comme un frémissement de malveillance, de haine. Je pris peur, vraiment.

— Alix ! m'écriai-je, saisie.

Elle se mit debout d'un bond.

— Rien ne vous empêche de vous en assurer vous-même, vous savez, lança-t-elle. Vous n'avez qu'à prendre un cheval et me suivre.

Elle courut à la porte mais se retourna, avant de sortir.

— Si vous pouvez ! ajouta-t-elle.

Son expression était carrément méprisante. Un rire étrange lui échappa, très différent des ricanements qui la prenaient pendant le cours — irritants, quelquefois, mais parfaitement normaux pour une adolescente. Elle disparut.

Pour la première fois depuis le départ de son père et de son cousin André, Alix ne revint pas pour le déjeuner ce jour-là. Le gong résonna comme d'habitude à une heure. A une heure dix, Stevens vint me trouver dans le salon où j'essayais de lire.

— Mademoiselle Alix n'est pas encore revenue, n'est-ce pas, mademoiselle Le Breton ? me dit-il.

— Non, Stevens. Pas à ma connaissance.

Il hésita.

— Je ne sais trop si je dois commander le déjeuner, mademoiselle, dit-il. Que pensez-vous que je doive faire ? Je sais que monsieur Darcourt n'aime pas que mademoiselle Alix saute un repas.

Il était visiblement sincèrement préoccupé. Je réfléchis un instant, puis lui conseillai en souriant :

— Attendez une demi-heure avant de sonner le gong à nouveau, Stevens. Je sais que monsieur Darcourt n'aime pas qu'Alix saute un repas, mais je ne crois pas qu'il serait content que nous nous laissions... écarter davantage du programme habituel. Vous ne pensez pas ?

— Oui, je le crois aussi, mademoiselle.

Il se retira.

Au dernier moment, j'avais modifié ma phrase. Au lieu d'« écarter », le mot qui m'était venu à l'esprit était « manipuler ». Je ne parvenais pas à me débarrasser de l'impression que c'était exactement ce qu'Alix essayait de faire. Lorsque j'étais enfant, mon père appelait cela « tirer sur la corde », et sa réaction était toujours immédiate : il m'administrait une fessée. Sur le moment, je protestais énergiquement : mais je ne lui en ai jamais gardé la moindre rancune. Les règles étaient nettes, et, si je me faisais prendre à les enfreindre, la punition suivait.

Ma mère, au contraire, me regardait de ses grands yeux sombres et me demandait comment j'avais bien pu m'oublier ainsi, sachant la peine que je faisais à mes parents. Ses gronderies peinées provoquaient en moi un mélange de culpabilité et d'irritation qui m'obséda pendant des années et qui fit autant que sa réserve naturelle pour m'empêcher de lui porter le même amour que je vouais spontanément à mon père.

Quand le gong résonna de nouveau, une demi-heure plus tard, j'allai m'installer dans la salle à manger, réfléchissant que les promenades à cheval d'Alix, tant avant qu'après le déjeuner, devenaient de plus en plus longues, comme si elle mettait mon autorité à l'épreuve pour savoir jusqu'où elle pouvait aller.

— Madame Conyers ne descend donc pas ? demandai-je à Stevens, qui me présentait un plat de riz et de haricots rouges.

— Non, mademoiselle. Madame Conyers a dit qu'elle ne se sentait pas bien. Elle se fait simplement monter du bouillon et du riz dans sa chambre.

— J'espère qu'elle n'est pas sérieusement malade ?

— Je l'espère, mademoiselle.

Il remporta le plat sur la desserte, posa le couvercle d'argent dessus et m'apporta le saladier.

C'était la seconde fois que la gouvernante manquait le déjeuner. La première fois, Alix n'avait pas paru s'étonner.

— Oh ! Connie a mal à l'estomac quelquefois ! m'avait-elle expliqué. Elle s'étend un moment, et ça passe. Elle n'aime pas qu'on fasse des embarras pour ses petits malaises.

J'avais accepté cette réponse sur le moment. Maintenant, je me posais des questions. Je ne voulais pas embarrasser Stevens en l'interrogeant.

Tout de même, après le déjeuner, je montai au second et allai frapper à la porte de la gou-

vernante. Je crus d'abord qu'elle n'avait pas
entendu, ou qu'elle dormait, et je me demandais
si je devais frapper à nouveau, quand j'entendis sa voix :

— Oui ? Qui est-ce ?

— Terry, madame Conyers.

Une autre pause.

— Entrez ! fit enfin la gouvernante.

On était surpris quand, du palier inondé de
soleil, on passait dans la pénombre de cette
chambre dont les persiennes à lames orienta-
bles avaient été presque complètement closes.
J'attendis quelques instants que mes yeux s'ha-
bituent à l'obscurité, puis je vis que la pièce était
aussi grande et presque aussi haute de plafond
que celle qui lui correspondait, au premier.
C'était une chambre d'angle, comme la mienne.
Par les fentes entrouvertes des persiennes, un
courant d'air passait, qui rafraîchissait l'atmosphère. Pourtant, bien que cette chambre fût à
peu près meublée comme les autres, elle paraissait moins confortable.

— Oui, mademoiselle Le Breton ? demanda
Mme Conyers.

Elle était assise dans un lit de cuivre, le dos
appuyé à un assez maigre oreiller. Je ne voyais
pas bien son visage, mais je distinguais, sur la
table de chevet, un plateau avec une tasse et un
bol — le riz et le bouillon dont Stevens m'avait
parlé.

— Je viens voir comment vous alliez, madame Conyers. Alix m'a dit l'autre jour que
vous aviez quelquefois des maux d'estomac.

J'en suis navrée. Puis-je faire quelque chose pour vous ?

Je fus fâchée de reconnaître dans ma voix ces accents conciliants, qui étaient une façon de m'excuser d'avoir humilié cette dame devant Alix. Je me méprisai de ne pas avoir le courage ou l'humilité de lui faire vraiment des excuses.

— Non, mademoiselle Le Breton. Vous ne pouvez rien faire.

Je me demandai si je ne me mettais pas à voir des sous-entendus et des doubles sens partout. J'avais cru surprendre un défi dans la voix d'Alix quand elle m'avait affirmé qu'elle ne franchissait pas la clôture pour s'aventurer dans le marais ; j'étais tout aussi certaine maintenant que la réponse de la gouvernante s'appliquait à bien autre chose qu'à une question courtoise sur son indisposition temporaire.

Un silence pesant tomba entre nous.

— Alix n'est pas revenue déjeuner, dis-je enfin.

— Elle a dû encore aller courir le marais, observa Mme Conyers, simplement, énonçant une vérité d'évidence que nous avions acceptée, elle et moi.

— Son père m'avait précisé qu'en aucun cas elle ne devait s'aventurer dans la partie sud de l'île, dis-je. Quand je lui ai demandé comment je pourrais l'en empêcher, il a feint de croire que mon autorité y suffirait. Bien entendu, elle ne suffit pas.

Je m'attendais qu'elle saisît l'occasion que je lui offrais de répliquer : « Je vous l'avais bien dit. » Je n'aurais pas pu le lui reprocher. Mais, elle se contenta de répondre :

— Non, rien ne peut l'arrêter.

— Je lui ai demandé si elle traversait la clôture, ou si elle sautait par-dessus. Elle a nié. Mais...

Ma voix tomba. Cela semblait absurde de dire que, en une seule phrase, Alix avait tout à la fois répondu non à ma question et confirmé mes soupçons. Mais Mme Conyers termina pour moi :

— Elle vous a dit qu'elle ne l'avait pas fait, mais vous avez parfaitement compris qu'elle mentait et qu'elle voulait que vous le sachiez.

— Oui, dis-je, étonnée de sa perspicacité. C'est exactement cela. Vous a-t-elle dit la même chose, à vous aussi ?

La gouvernante se déplaça, pour se mettre plus à son aise contre son oreiller. Peut-être la faible lumière tombait-elle ainsi plus directement sur son visage ; peut-être mes yeux s'habituaient-ils à la pénombre, en tout cas, je la distinguais mieux. Il me sembla qu'elle avait les traits tirés, le teint grisâtre.

— Souvent, répondit-elle, de la même voix morne. J'ai essayé de vous mettre en garde.

— Je sais, oui. Je suis désolée... Je regrette la façon dont je vous ai parlé devant Alix, à mon arrivée. C'était mal. Je n'ai fait cela que pour essayer de gagner sa confiance, pour lui donner l'impression que j'étais de son côté.

— Oh ! c'est bon !... Cela m'a mise en colère sur le moment, mais j'ai compris. Vous n'êtes pas la première à avoir essayé de la prendre ainsi.

Elle se déplaça de nouveau. Cette fois, je la vis encore mieux et je fus frappée par ses traits tendus et la pâleur de son visage.

— Vous n'êtes pas malade, madame Conyers ? demandai-je. Voulez-vous que je fasse venir le médecin ?

— Non. J'ai de petits ennuis de digestion de temps en temps. Cela ira mieux dans un jour ou deux.

— Alix dit que le docteur McIntyre...

— Je ne tiens pas à voir le médecin, coupa Mme Conyers. Absolument pas ! Je vous prie de ne pas lui parler de mon malaise.

— Mais...

Elle se redressa brusquement.

— Je ne veux pas voir le médecin. Est-ce bien compris ?

— Certainement. Je n'en parlerai pas si vous ne le voulez pas, naturellement.

J'hésitai un moment, puis, comprenant que je ne pouvais rien dire de plus ni rien faire, je me préparai à prendre congé. Mais, comme je me dirigeais vers la porte, la question qui se formait dans ma tête depuis des jours me vint au bout de la langue. La main sur le bouton, je me retournai :

— Madame Conyers, pourquoi Alix s'aventure-t-elle ainsi dans le marais ? Est-ce simplement par défi, parce que son père le lui a interdit ? Ne dispose-t-elle pas de suffisamment de terrain et de chemins de ce côté-ci de la clôture pour y faire des promenades raisonnablement intéressantes ?

La gouvernante se laissa retomber sur l'oreiller et détourna un peu son visage.

— Oh si ! elle a bien suffisamment de place ! Et les pistes cavalières sont longues et variées dans la forêt. Mais, ce n'est pas seulement pour défier son père, bien que je l'aie longtemps cru au début...

Elle s'interrompit.

— Alors, pourquoi ? insistai-je, essayant de ne pas paraître trop impatiente.

— Parce que..., commença-t-elle, l'esprit apparemment bien loin de moi.

Puis, elle se redressa de nouveau, les yeux sur la fenêtre, comme si elle pouvait voir quelque chose au travers des fentes des volets. Bien que nous fussions séparées par la largeur de la chambre, je la sentis se tendre brusquement, se durcir. Sa tête tourna vivement dans ma direction.

— Je n'en ai absolument aucune idée, dit-elle. Elle a toujours été hypernerveuse, avec une tendance à la rébellion. Maintenant, si cela ne vous fait rien, mademoiselle Le Breton, je voudrais bien dormir un peu.

— Mais...

— Tout de suite, s'il vous plaît.

En temps normal, la sécheresse de sa voix m'aurait agacée. Mais ma curiosité était beaucoup plus forte que mon ressentiment. J'eus à nouveau l'impression de recevoir un message double ; seulement, à la différence des deux pré-

cédentes occasions, mon interlocutrice ne s'en
apercevait même pas elle-même.

— Comme vous voulez, dis-je aimablement,
m'inclinant devant son désir.

Je sortis. Puis, dans le couloir, je gagnai
vivement la chambre à coucher voisine, dont la
fenêtre avait la même orientation que celle par
laquelle il m'avait semblé voir Mme Conyers
regarder. Comme la chambre de la gouvernante,
cette pièce — inoccupée — était meublée d'un
lit de cuivre avec une table de nuit, d'un bureau,
d'un fauteuil et d'une penderie à l'ancienne
mode. Elle me parut plus gaie que la chambre
d'à côté.

Mais, je ne perdis pas mon temps à analyser
cette impression. Rapidement, j'allai à la fenêtre qui donnait sur le devant de la maison et
regardai : j'avais devant moi une partie des
pelouses, l'allée et le terre-plein sur lequel les
voitures s'arrêtaient devant la propriété. Mais
je n'apercevais personne dans mon champ de
vision. Pourtant, j'avais bien vu la gouvernante
changer à vue d'attitude et, sans avoir pu connaître ce qui avait provoqué cette transformation ;
je croyais pouvoir être certaine qu'elle avait
aperçu par sa fenêtre quelque chose qui lui avait
fait, par peur, interrompre notre conversation.

J'allai m'asseoir sur le lit et laissai aller ma
nuque contre les barreaux de cuivre du chevet.
C'étaient de grands lits hauts, à l'ancienne
mode. Je pouvais voir, de là, une partie de l'allée et de la pelouse, et les arbres vers la pointe
nord de l'île. Simplement, je ne voyais plus le

terre-plein, devant la maison. Mais, pouvait-on voir encore quelque chose, les persiennes fermées ?

Je me relevai, allai à la fenêtre, l'ouvris. Les persiennes étaient bloquées contre le mur extérieur, et il me fallut beaucoup d'efforts pour les faire céder et les faire tourner sur leurs gonds rouillés. J'eus plus de mal encore à faire jouer le mécanisme qui servait à modifier l'inclinaison des lames. La chambre fut enfin plongée dans la pénombre. Je retournai au lit. Par les fentes des lames, j'apercevais maintenant une partie de l'allée, qui se perdait dans une masse verte, très vite indistincte : la forêt. Il m'aurait fallu des yeux de lynx pour reconnaître quelqu'un à cette distance — ou alors il aurait fallu que je connusse très bien cette personne.

Ma curiosité était de plus en plus aiguisée. Qu'est-ce qui avait fait peur à la gouvernante ? Qu'avait-elle vu — ou, plutôt, qui avait-elle vu ?

Je remis les lames en position normale, rabattis les persiennes, refermai la fenêtre et regagnai l'escalier. Sur le palier du premier, j'hésitai. La chienne avait pris l'habitude de me voir pendant une heure environ après le déjeuner, car c'était un moment où je n'avais jamais à m'occuper d'Alix, qui se trouvait alors dans sa chambre ou en promenade. Mais, avant de me rendre dans ma chambre, je me dirigeai vers le couloir opposé et allai frapper à la porte de la chambre d'Alix.

Je n'obtins pas de réponse. Je frappai à

nouveau. N'entendant rien, je tournai le bouton. La porte était fermée à clef. J'entendis une voix, dans mon dos :

— Eh bien, mademoiselle Le Breton, où est votre élève ?

Je pivotai sur les talons, n'en croyant pas mes oreilles : Tristan Darcourt était là, un sourire déplaisant et sardonique sur les lèvres.

Je le regardai fixement, stupidement, pendant un instant.

— Vous êtes revenu ! dis-je.

— Apparemment. Où est Alix ?

Je retrouvais cette voix, ce ton qui m'irritait tellement — comme si, pensais-je, il s'attendait que je tremble et me fasse toute petite devant lui. Naturellement, l'effet fut absolument contraire. Je me rebiffai. Autant qu'il sût la vérité tout de suite.

— Elle est sortie à cheval, monsieur Darcourt, lui répondis-je. Je ne sais pas si elle a franchi la clôture, par le portail ou en sautant par-dessus, et pénétré dans la partie sud de l'île. Je lui ai demandé si elle le faisait, et je lui ai rappelé vos instructions, mais...

Je m'interrompis, jugeant inutile d'attirer le courroux de Tristan Darcourt sur la tête d'Alix plus qu'il n'était nécessaire.

— Mais, vous ne savez toujours pas si elle l'a fait ou non, conclut-il.

Je ne voyais rien d'autre à dire que la vérité toute nue.

— Non.

— En tant que demoiselle de compagnie, il

me semble que vous laissez un peu à désirer,
mademoiselle Le Breton. Pourquoi, au nom du
ciel, ne l'avez-vous pas accompagnée à cheval ?

— Parce que je ne sais pas monter à cheval.
Il y a un certain nombre de personnes, monsieur Darcourt, qui ne disposent pas personnellement de chevaux et d'écuries leur permettant
de se livrer à cette activité aristocratique qu'est
l'équitation. J'en suis.

Comme toujours, j'avais répliqué spontanément, de façon plus véhémente — impudente,
peut-être — que je ne l'aurais voulu. Mais enfin,
les mots étaient lâchés, et je ne les regrettais
pas.

A mon très vif étonnement, Tristan Darcourt
éclata de rire.

— Vous avez vraiment un tempérament ba-
garreur, hein ! Bon, bon... Mais, pourquoi ne
m'avez-vous pas dit cela tout de suite quand
je vous ai parlé des promenades à cheval d'Alix ?
Cela nous aurait épargné bien des ennuis, à
vous comme à moi.

— Je ne sais pas. Peut-être n'y ai-je pas
pensé ? Peut-être ai-je répugné à le reconnaître ?

Je fus surprise moi-même de cet aveu. Il
sourit et dit, d'une voix différente :

— Eh bien, vous devriez apprendre ! Cela
n'a rien de mystérieux ni de difficile.

— Apprendre à monter à cheval ? Je croyais
que c'était le genre de choses qu'on apprend
quand on a six ans, ou jamais.

— Auriez-vous peur, mademoiselle Le
Breton ?

J'étais sur le point de répondre vertement :
« Bien sûr que non ! » Mais je me ravisai et
préférai dire le vérité :

— Oui. Un peu. Vos chevaux ont tous l'air
si grands...

— Grands certes, mais pas extrêmement
intelligents. Souvenez-vous-en, et ils vous feront
moins peur.

— Je croyais que les gens qui montaient à
cheval adoraient les chevaux. Comment pouvez-vous dire qu'ils ne sont pas très intelligents ?

— Parce que c'est vrai. L'amour que vous
portez aux gens est-il fonction de leur quotient
intellectuel ?

— Non. J'ai connu des gens extrêmement
intelligents qui étaient impossibles.

— Moi aussi.

Machinalement, j'avais redescendu le couloir avec lui. Nous étions arrivés sur le palier
du premier.

— Je regrette, pour Alix, dis-je. Elle a été...
étrange.

Darcourt s'était déjà engagé dans l'escalier.
Il se retourna pour me regarder. Ainsi arrêté
deux marches plus bas, il avait les yeux à la
hauteur des miens.

— Que voulez-vous dire par étrange ?

— Je veux dire qu'Alix change d'humeur de
façon imprévisible, m'empressai-je de répondre.
Après votre départ...

Brusquement, à ces mots, je me rappelai la
scène dont j'avais été témoin, la façon dont
Darcourt avait repoussé sa fille de la jeep, les

meurtrissures que j'avais vues ensuite sur le bras d'Alix. Comment avais-je pu trouver quoi que ce fût d'aimable en cet homme ?

— A quoi pensez-vous, mademoiselle Le Breton ?

Sa question me prit à l'improviste et me déconcerta.

— Pourquoi demandez-vous cela ?

— Vous seriez une très mauvaise joueuse de poker. Vous étiez sur le point de me dire quelque chose, sur ma fille, et puis votre expression a changé. Vous avez eu un recul, comme si vous aviez soudain découvert que j'étais Néron en personne.

« Pour l'amour de Dieu, Sally, m'avait dit mon père, un jour, ne joue jamais au poker ! Tu y perdrais ta chemise. » Ce souvenir me fit sourire.

— Oui, c'est ce que mon père disait.

— Ce père qui est mort quand vous aviez trois ans, mademoiselle Le Breton ? S'agirait-il de propos de lui que votre mère vous a rapportés ensuite pour entretenir sa mémoire, son culte, pour ainsi dire, comme vous nous l'avez assuré un jour ? De toute façon, comme vous ne pouviez guère jouer au poker à trois ans, il faut qu'il ait été doué de seconde vue.

Nous restions là, silencieux, immobiles — figés. Je me demandais vaguement si la façon plus humaine dont il m'avait abordée, quelques instants plus tôt, n'avait pas été une tactique délibérée pour me faire oublier ma prudence — et trébucher, exactement comme je l'avais fait.

— Eh bien ? insista-t-il.

Puis, après un autre silence, il ajouta :

— Pour vous épargner la peine de concocter un de vos mensonges compliqués, je vous dirai que la raison — une des raisons — de mon retour, c'est que je me suis rendu à La Nouvelle-Orléans et en Louisiane méridionale, entre autres. J'y ai rendu visite aux Le Breton. Tous ces gens raffolent de leur cousine Thérèse et ne tarissent pas d'éloges sur elle — cette bonne Thérèse qui enseigne actuellement l'anglais à deux petits Auvergnats, au centre de la France. On m'a même montré des photos d'elle. Vous êtes brunes, toutes les deux, et vous avez toutes les deux un petit air français. Mais, là s'arrête la ressemblance. L'une des photographies que ces cousins m'ont montrées était celle d'un groupe, prise au collège. J'ai eu la récompense de ma diligence et de mon tact en vous repérant dans ce groupe, parmi les condisciples de Thérèse. C'est mademoiselle Julie Le Breton, je crois, qui s'est rappelé votre nom. Alors, mademoiselle Wainright, voulez-vous descendre avec moi m'expliquer pourquoi vous êtes ici sous un faux nom, ou préférez-vous en parler directement à la police, qui vous attend à Saint-Damien ?

CHAPITRE VIII

Je suivis Darcourt dans l'escalier. Je me faisais l'effet d'un oiseau hypnotisé par un serpent : je n'aurais pas davantage pu ne pas suivre Darcourt que l'oiseau ne peut s'envoler.

Nous avions descendu la moitié des marches à peu près quand j'entendis soudain des aboiements venus de ma chambre, puis cet étrange gémissement suraigu que la chienne avait déjà poussé quand elle était face au scorpion. Du coup, le charme qui me liait aux pas de Darcourt fut rompu.

— Susie ! m'écriai-je.

Je me retournai et remontai l'escalier quatre à quatre, ignorant ma cheville qui me faisait encore mal. J'entendis derrière moi la voix irritée de Darcourt, mais je n'y prêtai pas attention. Je poussai violemment la porte, entrai — et restai un moment figée.

La scène se répétait, avec une légère différence. Ce n'était plus devant un scorpion, c'était autour d'un serpent, un petit serpent noir et rouge à la tête dangereusement dressée, que Susie exécutait une sorte de danse de guerre.

Je n'étais pas mieux renseignée sur les serpents que sur les scorpions et je ne savais pas si cette espèce était venimeuse. Mais je savais que la meilleure façon de pousser un animal à attaquer est de lui faire peur, et j'hésitais à m'approcher, de crainte de déclencher une réaction de ce genre. Je me demandais comment je pourrais détourner l'attention du serpent pour dégager la chienne.

— Ne bougez pas ! Restez où vous êtes !

C'était la voix de Darcourt, derrière moi. Sa main se posa sur mon épaule. Puis, avant que j'eusse eu le temps de comprendre ce qui se passait, un projectile siffla auprès de moi, frappant le serpent à la tête avant d'aller s'écraser par terre. Le serpent ne bougeait plus. Darcourt m'écarta, alla prendre Susie et me la tendit. Puis, achevant le serpent d'un coup de talon, il le pinça entre deux doigts, l'emporta à la fenêtre et le jeta dehors.

Je retrouvai enfin ma langue.

— Il était venimeux ? demandai-je.

— Oui. C'était un serpent-corail [1].

— Les serpents peuvent-ils monter le long des murs ou par les canalisations ?

Il fronça les sourcils.

— Je suppose qu'ils pourraient monter —

---

(1) Appelé aussi serpent-Arlequin, ce colubridé est le redoutable élaps ou micrurus (*Micrurus fulvius*) de l'Amérique latine et du sud des Etats-Unis.

pas le long des murs en tout cas. Mais, je n'en ai jamais vu d'exemple, par ici.

Ma peur première avait fait place à la colère.

— Il semble vraiment que quelqu'un ait pris à cœur de monter un zoo dans ma chambre. Je n'aime ni les serpents ni les scorpions. Encore moins quand on les introduit ici pendant que Susie s'y trouve seule.

Darcourt alla ramasser le lourd serre-livres de bronze dont il s'était servi comme projectile et le remit à sa place, sur un petit meuble, à côté de la porte. Puis, il se tourna vers moi.

— Vous voulez dire que vous avez déjà trouvé un scorpion dans votre chambre ?

— Oui. Un scorpion d'une bonne quinzaine de centimètres. Il y en avait même eu deux, mais l'un des deux, en m'attendant, avait tué l'autre et l'avait dévoré en partie. J'ai trouvé les restes du cadavre dans le carton à chaussures qui avait évidemment servi à les transporter. Il y a décidément ici quelqu'un qui a un curieux sens de l'humour ou qui cherche à se débarrasser de moi.

La bouche de Darcourt avait pris un pli sévère que je commençais à bien connaître.

— Ce dernier objectif pourrait être atteint par des moyens plus directs.

J'aurais dû avoir peur. En fait, j'avais peur, mais la personnalité de Darcourt excitait mon humeur batailleuse.

— Dois-je comprendre cela comme une menace, monsieur Darcourt ?

— Non ; comme une constatation pure et simple. Je suis revenu pour vous renvoyer et vous expulser de l'île sur-le-champ.

— Parfait ! Vous pouvez compter sur ma coopération entière. Je n'aurai pas besoin de plus d'un quart d'heure pour faire mes bagages.

Je reposai la chienne, allai à la penderie et en tirai ma valise.

— Un moment, mademoiselle Wainright ! J'ai d'abord quelques questions à vous poser.

Je me retournai.

— Oui. J'en ai quelques-unes, moi aussi.

— Nous en discuterons en bas. Mais, d'abord, vous parliez d'une boîte, d'un carton à chaussures. L'avez-vous encore ?

Il se trouvait que je l'avais gardé. Je l'avais enveloppé et jeté dans la corbeille à papier d'abord. Puis, je ne sais pourquoi, je m'étais ravisée : j'avais récupéré la boîte, l'avais enveloppée dans deux ou trois épaisseurs de journal (l'idée de l'intérieur souillé me donnait des nausées) et je l'avais rangée sur le rayon supérieur du placard à linge, dans la salle de bains.

— Oui, dis-je.

J'allai chercher le carton. Il n'était plus à sa place. Je passai vainement la main sur le rayon pour m'en assurer.

— Il a disparu, constatai-je. Qui a bien pu... ?

Saisie d'un pressentiment, je revins dans la chambre, allai soulever le volant du couvre-lit et regardai dessous. Je ne m'étais pas trompée : le carton était là, reposant sur son couvercle,

comme la première fois. Je le sortis, le pris et
le tendis à Darcourt.

— Comme je vous le disais, l'auteur de cette
petite farce a un curieux sens de l'humour :
même boîte, même endroit. La seule différence,
c'est le serpent, à la place des scorpions. Et
j'espère qu'il n'y en avait qu'un.

Il regarda l'intérieur du carton. Il n'y avait
pas à s'y tromper. Les souillures laissées par
les scorpions étaient toujours là. Darcourt
resta songeur quelques instants, puis il leva les
yeux vers moi.

— Avez-vous une idée de la personne qui
peut faire cela ? demanda-t-il. Avez-vous une
idée de ses mobiles ?

— Non, monsieur, aucune idée. Et le fait
que je pourrais soupçonner n'importe qui, en dit
long sur l'atmosphère qui règne ici et sur les
gens eux-mêmes. Je ferais une exception pour
Stevens, peut-être. Je ne sais pourquoi, mais
je ne peux pas croire qu'il soit assez méchant
ou qu'il m'en veuille suffisamment pour faire
quelque chose de ce genre.

— Qu'on vous en veuille, oui, cela me paraît
évident. Mais, pourquoi méchant ?

— Ne pensez-vous pas qu'il faut être
méchant pour tuer un chien quand on veut s'en
prendre à son propriétaire ? Une petite chienne
innocente et tout à fait inoffensive, quelle que
soit l'aversion que vous puissiez avoir personnellement pour elle ?

— Cette question me paraît bien secondaire
en ce moment, mademoiselle Wainright, mais

pourquoi dites-vous que j'ai personnellement
de l'aversion pour votre chienne ? Si c'était le
cas, il m'eût suffi d'hésiter quelques secondes.
Le serpent-corail se serait chargé de me débarrasser de votre Susie.

— C'est vrai, dis-je. Excusez-moi. Je n'aurais pas dû dire cela.

Susie, qui prenait vraiment curieusement
son temps quelquefois, abandonna la valise
qu'elle avait flairée sur toutes les coutures,
s'approcha de Darcourt, remua la queue et
s'assit devant lui, la tête levée. Je ne pus m'empêcher de rire. Il se baissa et gratta la tête de
la chienne, entre les oreilles. Je compris que je
devais boire le calice jusqu'à la lie : c'était
humiliant de devoir quelque chose à cet homme.

— Non seulement je vous présente mes
excuses, dis-je, mais je vous remercie d'avoir
sauvé la vie de Susie. Je... je lui suis très
attachée.

Il se redressa.

— Je vous en prie ! répliqua-t-il ironique-
ment. On pourrait dire que c'est sans doute
une preuve de ramollissement cérébral de ma
part, car l'histoire est pleine de personnages
fort méchants qui aiment beaucoup leurs chiens,
mais votre affection pour Susie me paraît être
l'argument le plus puissant en votre faveur,
celui qui m'empêche de croire le pire de vous.
Il n'empêche que vous me devez quelques
explications et que j'ai bien l'intention de les
obtenir. Immédiatement. Descendons à la biblio-

thèque, où nous pourrons nous entretenir. Si vous le permettez, je vais garder cette boîte.

Sans plus de cérémonies, il fit demi-tour et sortit de la chambre. Je ne pouvais rien faire d'autre que le suivre, laissant la porte ouverte pour permettre à la chienne de descendre derrière nous.

— Si cela ne vous fait rien, dis-je, m'engageant dans l'escalier sur les talons de Darcourt, j'emmène Susie. Je ne tiens pas à la retrouver à l'intérieur d'un boa constrictor, quand je remonterai.

Il ne répondit pas. Je me sentis un peu soulagée à l'idée que j'avais eu le dernier mot, au moins pour le moment. Nous descendîmes en silence, et il me précéda dans la grande bibliothèque où nous avions eu notre premier entretien.

— Veuillez fermer la porte derrière vous, dit-il.

Il s'approcha en boitillant du bureau, attendit que j'eusse refermé la lourde porte de chêne derrière la chienne, puis s'installa.

— Asseyez-vous, dit-il, m'indiquant une chaise devant lui. Bon, je connais votre nom. Mais je veux savoir qui vous êtes, pourquoi vous vous êtes introduite ici sous le nom de quelqu'un d'autre, ce que vous êtes venue chercher. Et tâchez de ne pas mentir cette fois !

Je m'empourprai devant cette accusation. Mon père m'avait bien dit, un jour, que, si jamais il fallait mentir, j'avais tout intérêt à y aller carrément. Il n'empêche qu'il n'aimait pas

les mensonges et que je tenais de lui sur ce
point aussi. « Mentir, c'est de la lâcheté, Sally,
me dit-il un jour. Quand on ment, d'ordinaire,
c'est pour se sortir d'un mauvais pas ou pour
faire plaisir à quelqu'un. Dans les deux cas,
ce n'est pas beau. »

— Vous n'aimez pas qu'on vous dise cela,
n'est-ce pas ? remarqua calmement Darcourt
qui m'observait.

— Non.

— Vous l'avez cherché pourtant. Quand on
usurpe l'identité d'une autre personne, c'est
bien un mensonge, non ? Or, c'est ce que vous
avez fait. Pourquoi ?

Je me penchai en avant.

— Pourquoi avez-vous abandonné ma mère,
vous ?

Je lui avais avancé cela tout à trac et je me
réjouissais déjà de sa stupéfaction. Je fus très
ébahie et déçue de voir qu'il ne se troublait
nullement.

— Je ne l'ai pas abandonnée, fit-il remarquer. C'est elle qui m'a repoussé.

Je sursautai.

— Vous mentez ! explosai-je.

— Pas du tout ! Je ne suis pas comme vous ;
je n'ai pas l'habitude de mentir, moi. Je ne sais
pas ce que votre mère vous a dit, ni pourquoi.
Mais c'est elle qui m'a écrit pour rompre nos
fiançailles. Quand j'ai su votre véritable identité, et que j'ai appris qui étaient vos parents,
j'ai pensé à rechercher ses lettres.

Il tira une clef de sa poche, ouvrit le tiroir

central du bureau et en tira une petite liasse
de lettres. Le cœur battant, je distinguai, de
loin, une écriture familière.

— Vous reconnaissez ? me demanda-t-il.

Il dégagea la première lettre du ruban en
caoutchouc et me la tendit.

Comme je n'avais jamais quitté la maison
avant la mort de ma mère, elle ne m'avait jamais
écrit. Mais j'avais vu maintes fois cette écriture,
quand ce ne serait que sur des listes d'épicerie,
et je possédais aussi, dans une malle que j'avais
confiée à un garde-meubles, des lettres qu'elle
avait écrites à mon père et qu'il avait soigneusement conservées.

Je tirai la lettre de l'enveloppe, dépliai la
page unique et lus :

Mon cher Tristan,

*Je sais maintenant que vous êtes au courant,
pour ma sœur. J'ai appris que vous souhaitiez
être délié de notre engagement mais que vous
jugiez indigne de vous de le rompre vous-même.
Je vous en délierai donc. En retour, je demande
seulement que vous ne m'écriviez pas, que vous
ne me téléphoniez pas, que vous n'entriez en
contact avec moi en aucune façon. Je m'en vais
immédiatement. Je désire ne plus jamais avoir
de vos nouvelles.*

Giselle Le Vaux.

« Etrange », me dis-je. J'aurais dû éprouver
davantage d'émotion à la lecture de cette lettre

que ma mère avait écrite à l'âge de dix-huit ans à l'homme qu'elle aimait et auquel elle renonçait pour lui complaire. Or, je ne ressentais rien d'autre qu'une curiosité brûlante et une vague indignation — un peu comme si, dans un certain sens, j'avais été trompée.

— Je ne savais pas que ma mère avait une sœur, dis-je. Quand elle était malade et qu'elle délirait, elle parlait à quelqu'un qu'elle appelait « Sis », mais mon père m'a dit alors qu'elle n'avait pas eu de sœur.

Je relevai les yeux sur lui.

— Mais, dis-je, d'après cette lettre, elle vous déliait simplement d'un engagement dont vous ne vouliez plus de toute façon ?

— C'est ce qu'elle disait, mais c'est faux. Cette lettre, adressée, comme vous pouvez le voir, par courrier ordinaire, m'est arrivée alors que je me trouvais à l'autre bout du monde, aux Philippines — j'étais dans la marine, à cette époque. Lorsque je suis rentré, six mois plus tard, votre mère avait épousé votre père. J'ai essayé de la voir, mais je n'ai réussi qu'à m'attirer cette lettre de votre père.

Il me sortit une autre lettre du tiroir.

Cette fois, je sentis les larmes me monter aux yeux.

Malgré mon parti pris contre Tristan Darcourt, je devais m'avouer qu'il était difficile de ne pas considérer cette lettre comme définitive. C'était mon père sous son aspect le plus explosif :

Monsieur,

Si jamais vous ennuyez encore ma femme, si vous essayez une seule fois de la voir, je vous ferai immédiatement coffrer. J'aurai en outre un rude plaisir à vous administrer une bonne rossée. Vous ne trouvez pas que vous lui avez fait suffisamment de mal comme cela ?

J'ai bien l'honneur,

Patrick James Wainright.

C'était tellement typique de mon père, cette promesse de flanquer une rossée à Darcourt qu'il me semblait presque sentir sa présence à mon côté, entendre sa voix. Puis, je me rendis compte que Darcourt était debout auprès de ma chaise et me tendait son mouchoir. Je sentais, en effet, des larmes couler sur mes joues.

— Sur qui pleurez-vous ? demanda Darcourt, votre père ou votre mère ?

Je pris machinalement le grand carré de linon qu'il me tendait.

— Mon père. Cette lettre lui ressemble tant ! Oh ! celle de ma mère aussi, bien sûr ! L'écriture est bien d'elle certes ; mais...

— Mais c'est sur votre père que vous pleurez ?

J'acquiesçai et me mouchai.

— Il m'arrive quelque chose d'étrange. J'avais quinze ans, à la mort de mon père. Pourtant, jusqu'à mon arrivée ici, il ne m'avait jamais donné l'impression d'avoir disparu. Ce n'est que maintenant que j'ai cette impression-là.

— Peut-être n'aviez-vous jamais voulu accepter sa mort jusqu'à maintenant ?

— Sans doute. Seulement, je ne vois pas pourquoi c'est ici que cela me frappe.

— Non, moi non plus. Surtout que vous étiez censée avoir d'autres préoccupations. Celle de ma fille, entre autres.

Darcourt fit le tour du bureau et se rassit.

— Je me suis occupée d'elle de mon mieux, protestai-je. Du moins, quand elle me permettait de le faire. Mais, étant donné la brutalité avec laquelle vous l'avez traitée quand elle a essayé de vous empêcher de partir — j'ai vu la scène, du balcon du premier ; j'ai vu sur ses bras les meurtrissures que vous lui aviez faites —, je comprends pourquoi elle a du mal à faire confiance aux gens.

Darcourt me regardait fixement.

— Puisque vous avez vu la scène, vous devez aussi avoir remarqué que, si je ne l'avais pas repoussée, elle aurait été traînée par la jeep, blessée peut-être.

— Vous n'auriez sans doute pas pu attendre qu'elle accepte votre départ de bonne grâce ?

— Non, je ne pouvais pas. J'étais déjà en retard.

— Les affaires avant tout, n'est-ce pas ?

— Comme vous ignorez de quelles affaires il s'agissait et à quel point elles étaient urgentes, je mettrai votre remarque au compte de l'impertinence et de l'étourderie. Je vous rappelle que ce n'est pas moi qui vous ai menti ni qui me suis introduit chez vous sous une fausse

identité. C'est vous qui m'avez fait du tort, et
non l'inverse.

— J'ai du mal à croire qu'on puisse vraiment faire du tort à quelqu'un d'aussi riche et
d'aussi puissant que vous, monsieur Darcourt.

— Cette observation prouve simplement
votre étroitesse d'esprit.

Il me regarda fixement en silence, un
moment, puis reprit :

— Pour une jeune personne aussi imbue
que vous d'idées d'avant-garde, mademoiselle
Wainright, je trouve que vous accordez une
importance stupéfiante à l'argent. Votre remarque signifie-t-elle qu'une personne devrait être
moins ou plus fâchée de voir quelqu'un péné-
trer dans son domicile sous un faux prétexte
parce qu'elle n'habite qu'un logement d'une
seule pièce ? Croyez-vous que le souci qu'ont
les gens de voir respecter leur vie privée, que
leur déplaisir à être trompés soit fonction de
leur aisance ?

Je n'avais pas réfléchi à la question sous ce
jour et je ne trouvai pas de réponse immédiate.

— D'autre part, continua-t-il, agressif, croyez-vous que l'argent ait tant de pouvoir qu'il
puisse préserver, celui qui en possère, des deuils,
des souffrances, des chagrins ?

Un vieux souvenir de mes cours d'histoire
me revint, et je marmonnai, machinalement :

— Croyez-vous que je ne saigne pas tout
comme un autre, si l'on me pique, que je ne rie
pas, si l'on me chatouille ?

— Précisément, dit-il.

Il n'avait pu réprimer un sourire. Je me ressaisis :

— Tout cela est bel et bon, dis-je. Pourtant, il est bien vrai, comme l'a dit un humoriste, que l'argent ne fait peut-être pas le bonheur, mais qu'il aide beaucoup à supporter les petits malheurs de l'existence.

— Cela vous donne-t-il le droit de vous introduire frauduleusement dans mon foyer ?

Il avait vraiment l'art de retourner vos arguments en sa faveur, me dis-je, irritée. Je me sentais, aussi, mal à mon aise du fait que je ne lui avais avoué que la moitié des raisons de ma présence. Je voulus essayer de faire la part du feu. S'il ne cherchait qu'à me pénaliser parce que j'étais entrée chez lui sous un faux nom, ce qui ne pouvait pas me mener bien loin, cela lui ôterait peut-être l'idée de chercher d'autres raisons à ma présence.

— Je comprends que vous soyez fâché, avouai-je donc, espérant l'écarter des eaux dangereuses.

Darcourt me considérait attentivement, les yeux rétrécis.

— Vous êtes donc venue ici dans le but de découvrir pourquoi, à vous en croire du moins, j'avais abandonné votre mère ?

— Oui. Elle n'a jamais été heureuse. Pas vraiment. Elle était toujours... lointaine. Mon père m'a dit que vous l'aviez rejetée pour épouser une femme riche.

— Votre père avait la plus belle tête de mule qu'Irlandais ait jamais possédée, et ce n'est pas peu dire. Il croyait ce qu'il désirait croire — c'est-à-dire ce que votre mère lui avait dit.

— Pourquoi lui aurait-elle menti ?

— Je ne dis pas qu'elle lui a menti. Mais quelqu'un a menti dans cette affaire. Je ne sais qui, je ne sais quand. Votre mère dit dans sa lettre que j'avais découvert le secret de sa sœur. Je n'avais rien découvert du tout. Je ne savais même pas qu'elle avait une sœur. A moins qu'elle n'ait monté cette histoire de toutes pièces et ne se soit inventé une sœur, il faut bien que quelqu'un lui ait dit quelque chose, par conséquent.

— Mais, pourquoi ? demandai-je, ahurie. Et pourquoi aurait-elle caché l'existence d'une sœur ?

— Pourquoi, oui ? Peut-être quelque tare honteuse se cachait-elle derrière tout cela ?

— Dans ce cas, monsieur Darcourt, vous ne me ferez pas croire que, si vous étiez aussi bouleversé que vous voulez bien le dire de la voir rompre vos fiançailles, vous n'ayez fait aucun effort pour découvrir la vérité !

— Oh ! des efforts, j'en ai fait, pour sûr ! Je suis descendu en Louisiane et j'ai interrogé tous les Le Vaux de la région des bayous. Je les ai fait parler. Et l'on peut dire qu'ils parlaient — la moitié du temps dans un patois que j'avais du mal à comprendre. J'ai fini par me rendre compte qu'ils affectaient délibérément de ne savoir parler que cajun quand ils me voyaient venir. J'ai tout de même fini par leur arracher la vérité. Votre mère avait bien une sœur, mais qui avait été internée. Toute la famille, jusqu'au dernier cousin, considérait cela comme une honte sur laquelle il fallait garder un silence pudique.

— Vous voudriez me faire croire que ma mère considérait le fait d'avoir une malade mentale pour une sœur comme tellement honteux que, non seulement elle avait rompu vos fiançailles, pensant que vous voudriez le faire vous-même dès que vous apprendriez la chose, mais encore qu'elle n'a jamais voulu en parler ni à son mari ni à sa fille ?

— Avez-vous fréquenté un tant soit peu les gens de votre famille, ceux qui habitent cette partie sud-est de la Louisiane, mademoiselle Wainright ?

— Oui. Je me suis rendue là-bas avec Terry, quand nous étions au collège.

— Les avez-vous trouvés disposés à parler volontiers de la sœur de votre mère ?

— Non. Mais cela n'a rien d'étonnant : je ne connaissais même pas son existence. Enfin, je n'avais que des doutes...

— Eh bien, les avez-vous trouvés disposés à parler volontiers de quoi que ce soit qui ait un rapport direct, intime, avec les affaires familiales ?

A la réflexion, je devais reconnaître qu'il avait raison.

— Non, dis-je. Mais, j'ai attribué leur réserve au fait qu'ils devaient me trouver terriblement yankee.

— Vous n'avez pas connu cette région à cette époque ; mais je puis vous assurer que, dans ces milieux extrêmement provinciaux, il y a un quart de siècle, la maladie mentale était considérée un peu comme la tuberculose à l'époque victorienne. C'était un sujet tabou. Personne n'en parlait.

— Bon, bon ; je veux bien. Mais vous ne me ferez pas croire qu'elle n'en ait rien dit à mon père.

— Peut-être l'a-t-elle fait. Simplement, il ne vous en a rien dit, lui.

— Sottises ! J'avais douze ans quand ma mère est morte, et j'ai encore vécu trois ans avec mon père après cela. Il me l'aurait dit.

— Croyez-vous, étant donné les sentiments qu'il avait pour votre mère ?

C'était vrai. Mon père, qui était beaucoup plus âgé que ma mère, la considérait un peu comme une sainte, beaucoup en tout cas comme un petit oiseau des îles, extraordinairement délicat, qu'il fallait traiter avec infiniment d'amour et un soin extrême. Et la mort de ma mère n'avait en rien interrompu ce culte. J'adorais mon père et je savais qu'il m'adorait, mais il m'arrivait de m'impatienter en le voyant perdu dans cette vénération pour une morte. On aurait dit qu'il avait édifié en son honneur, dans la maison, un autel dont il aurait voulu me faire la vestale.

— Eh bien, l'aurait-il fait ? insista Darcourt.

— Peut-être pas. Je ne sais pas. Je ne suis pas sûre.

— De toute façon, cela ne résout pas le mystère, n'est-ce pas ? Nous en sommes toujours à nous demander qui a raconté à votre mère que j'étais au courant de l'internement de sa sœur et que je ne voulais plus l'épouser.

— Si vous aviez su, n'auriez-vous pas voulu reprendre votre parole ?

— Comment puis-je dire maintenant comment j'aurais réagi ? Je ne crois pas que j'aurais voulu rompre, car j'étais jeune et très amoureux. Mais une famille louisianaise traditionaliste ne pouvait manquer de croire que je serais très sensible à une tare pareille, à cause des risques héréditaires qu'elle pouvait comporter.

— Et vous croyez que vous n'y auriez pas été sensible, justement à cause de ces risques ? répliquai-je vivement.

J'étais convaincue que le souci de sa descendance était une des considérations premières, pour un Darcourt, et primait les sentiments. J'aurais aimé à le lui faire reconnaître.

— Je vous l'ai dit. Je suis incapable de dire ce que j'aurais pensé ou décidé à ce moment-là.

— A ce moment-là, c'est-à-dire quand vous étiez jeune et amoureux ? Quand vous n'en étiez pas encore venu à faire passer les affaires en premier, comme avec Alix ?

— Vous y tenez, hein ! Décidément, vous avez hérité l'obstination de votre père. Vous n'abandonnez pas facilement vos préjugés ! Je ne sais plus que vous dire. Je vous ai produit des preuves que ce n'était pas moi qui avais abandonné votre mère, que c'était elle au contraire qui avait rompu. Je vous ai dit que j'avais repoussé Alix de l'auto pour éviter qu'elle ne se fît du mal. J'ajouterai que les meurtrissures que vous avez vues sur son bras venaient de ce que j'avais dû l'empêcher de sauter du balcon de sa chambre, la veille... Oui, oui, je vous vois venir ! Ne montez pas sur vos grands chevaux. C'est un coup qu'elle avait déjà essayé pour obtenir quelque chose. D'ailleurs, comme madame Conyers et Stevens étaient l'un et l'autre dans la chambre quand c'est arrivé, ils vous le confirmeront. Mais, vous ne voudrez toujours pas le croire. Vous êtes l'incarnation vivante de la formule : « Ne venez pas m'ennuyer avec des preuves ; mon siège est fait. » Ce que j'aimerais savoir, c'est pourquoi vous avez cette attitude-là. Avez-vous des motifs politiques ? Est-ce simplement, comme j'inclinerais à le penser, parce que vous êtes la fille de votre père ? Plus j'y réfléchis, plus je crois que c'est ça — en dépit du fait que vous ressemblez physiquement à votre mère.

Malheureusement, tout ce qu'il disait était vrai. A mesure qu'il parlait, je me rendais compte que toute mon attitude avait été guidée par le souci de trouver des preuves pour étayer une conviction qui n'était qu'un préjugé, au lieu d'attendre de savoir pour me faire une opinion. Etait-ce vraiment parce que mon père m'avait assuré que Tristan Darcourt était une étoile de première grandeur au firmament des coquins ?

Il me regardait me débattre dans mes réflexions, comme un entomologiste regarde un
insecte immobilisé sur le dos essayer de se
remettre sur ses pattes.

— Vous savez, dit-il, c'est à cause de cette
ressemblance avec votre mère que je suis allé
enquêter en Louisiane. C'est une des raisons
pour lesquelles je ne vous ai pas mise à la
porte immédiatement. Il m'apparaissait à l'évidence que je ne pouvais trouver personne de
moins apte à servir de demoiselle de compagnie à Alix. Mais j'étais tourmenté par ce visage
qui réapparaissait, si longtemps après, dans ma
vie — et qui faisait si bien contraste avec votre
voix. Chaque fois que vous ouvriez la bouche, on
aurait cru entendre votre rouspéteur de père !

— Comment ? me récriai-je, saisie. Vous
voulez dire que vous avez connu mon père ?

— Bien entendu ! Vous ne croyez tout de
même pas que j'allais laisser une pareille lettre
sans suite, non ?

— Et... vous a-t-il administré la rossée qu'il
vous avait promise ?

Pour la première fois, il sourit vraiment.

— Disons que nous avons fait match nul.

— Il ne m'en avait jamais parlé..., dis-je.

— J'ai l'impression qu'il y a pas mal de
choses dont il ne vous a jamais parlé.

— Que voulez-vous dire ?

Il se leva.

— Etant donné votre manque de franchise...
Non, ne prenez pas la peine de nier ; il y a autre
chose que vous ne m'avez pas encore dit... Je ne

vois pas pourquoi je continuerais à m'expliquer devant vous. Mais j'ai changé d'avis. Au lieu de vous renvoyer, je vais commencer par vous apprendre à monter à cheval. D'abord, parce que je préfère vous tenir à l'œil ; ensuite, parce que je vous mettrai ainsi en mesure de faire ce pourquoi je vous ai engagée : accompagner Alix. Allez passer des vêtements convenables. Si vous n'en avez pas, madame Conyers pourra vous en procurer.

Cette arrogance me coupa le souffle.

— Comme cela, simplement ? Vous avez décidé de m'apprendre à monter à cheval ? Vous n'êtes pas homme à perdre votre temps en sottises de ce genre : « Puis-je vous apprendre... ? » ou : « Aimeriez-vous apprendre... ? »

Il se pencha en avant au-dessus du bureau.

— Entendons-nous bien, mademoiselle Wainright. Vous ferez ce que je vous demande, sinon la police de Saint-Damien vous attendra au bateau quand je vous ferai reconduire. Inutile, je pense, de vous dire que les autorités de Saint-Damien feront exactement ce que je leur demanderai de faire, notamment qu'elles vous retiendront indéfiniment pour vous poser des questions sur la raison pour laquelle vous avez pénétré chez moi sous un faux nom, sans doute pour préparer je ne sais quel méfait ?

Je le regardai fixement. Les réflexions se bousculaient dans ma tête. Si seulement je parvenais à prévenir Brian Colby, ce journaliste pourrait déclencher une campagne si déplaisante pour Darcourt que les gens à sa solde seraient trop heureux de me lâcher.

Je n'avais jamais autant regretté de n'avoir pu encore établir de contacts avec lui. Mais, même s'il ne recevait aucune nouvelle de moi, — et justement en raison de cette conjoncture, — il finirait bien par s'inquiéter et il s'emploierait à découvrir ce qui m'était arrivé. Seulement, en attendant, j'aurais tout le temps de moisir en prison.

Alors, même si je trouvais prodigieusement agaçant de m'incliner docilement devant les ordres de cet autocrate, cette obéissance était encore la meilleure tactique. Elle me laisserait au moins le temps de toucher Brian et de voir ce que je pourrais faire pour aider Alix.

— Très bien, dis-je. Je vais mettre un jean.

— Bon. Je vous attends ici.

Darcourt me choisit un cheval, sans doute un peu moins grand que sa propre monture, mais qui me parut gigantesque.

— Vous n'auriez pas la taille au-dessous ? demandai-je, affectant la désinvolture.

— Si. Mais Rusty est une très brave bête, très douce. Prenez la bride et grimpez sur le montoir.

Je me mis en selle assez maladroitement.

— Je dois vous dire que la tête me tourne quand je me sens perchée un peu haut, avouai-je.

— Débrouillez-vous pour que cela vous passe !

Vingt minutes plus tard, nous avancions au pas sur une des nombreuses pistes cavalières tracées derrière la maison. J'étais la première surprise de constater que je prenais plaisir à cet exercice. Chose plus surprenante encore : je n'avais plus peur du tout. Ma frayeur avait disparu dès les cinq premières minutes.

J'étais en train de me dire que les difficultés de l'équitation étaient vraiment fort surfaites quand Darcourt, qui m'avait observée sans rien dire, me déclara :

— Maintenant, nous allons trotter. Regardez bien comment je fais. Il faut s'élever et redescendre au rythme du trot du cheval. Un coup à attraper simplement. Une fois que vous aurez compris, vous verrez que c'est la chose la plus facile du monde.

Je crus d'abord que ma colonne vertébrale allait se disloquer !

— Une fois sur deux ! me lança Darcourt. Serrez les cuisses et les genoux. Voilà, montez, descendez...

Je commençais à comprendre ce qu'il voulait dire. Mon corps trouvait le rythme automatiquement.

— Je ne comprends pas que vous n'ayez pas appris plus tôt à monter, observa Darcourt au bout d'un moment. Vous aimez les bêtes. Vous avez une bonne coordination dans les mouvements. Vous comprenez vite. Et vous êtes fille d'Irlandais en plus.

Oui, je m'apercevais que cela me plaisait énormément, mais je répétais ce que j'avais entendu mon père dire bien des fois :

— Les chevaux, c'est pour les gens chics. Nous n'en sommes pas.

— Ah ! je reconnais le style ! A quelles fins vous endoctrinait-il ? pour vous enrôler dans un mouvement subversif ?

— Ma foi...

Comme j'hésitais, Darcourt tourna la tête.

— Oui ?

— Oh ! cela n'a plus d'importance, maintenant qu'il est mort ! Je peux bien vous dire qu'il avait participé à la Révolution. C'est même pour cela qu'il avait quitté l'Irlande, juste à temps pour échapper à la police.

— Naturellement.

— Qu'est-ce qui vous paraît naturel ? qu'il ait fait la Révolution ou qu'il ait été poursuivi par la police ?

— Les deux.

— Oui, dis-je, surprise moi-même de m'entendre rire. « Je ne sais quel est votre gouvernement, mais je suis contre. » Mon père était comme ça.

Je crus voir un sourire sur le visage de Darcourt. Celui-ci se contenta de dire :

— Attention, nous allons passer au galop. Pressez vos talons dans les flancs de votre cheval. Doucement !

Après le premier moment de peur — je crus que j'allais être désarçonnée —, je fus saisie d'une exultation profonde. Nous galopions sur la piste bordée d'azalées, au-dessous des festons ondulants de la mousse espagnole. J'oubliai tout ce qui n'était pas mon ravissement présent.

— Très bien ! dit la voix de Darcourt. Tirez sur les rênes maintenant. Fermement mais pas trop sec.

Le cheval ralentit, se mit au trot, puis au pas.

— C'était merveilleux, dis-je, oubliant mon animosité. Vous avez raison : je regrette de ne pas avoir appris depuis longtemps.

— Politesse pour politesse, répondit-il, souriant : permettez-moi de vous dire que je n'ai jamais vu quelqu'un d'aussi doué. Vous vous débrouillerez très bien. Rentrons maintenant ; sinon, vous serez une semaine sans pouvoir vous asseoir.

Nous repartîmes. Cela faisait un quart d'heure, à peu près, que nous trottions sans histoire quand l'incident se produisit : un coup de feu fit éclater le silence de la forêt, et j'entendis quelque chose siffler au niveau de ma tête, entre Darcourt et moi. Avec un hennissement puissant, Rusty se cabra. J'eus l'impression qu'une force géante me basculait en arrière.

— Tenez bon ! Serrez les genoux ! cria Darcourt.

Je suppose que je dus obéir. En tout cas, je me souviens d'avoir été surprise de ne pas tomber. Mais, Rusty prit à peine le temps de se rétablir. Il se rassembla et démarra. Je compris

alors qu'il y avait un monde de différence entre
le petit galop tranquille que j'avais pratiqué
un moment plus tôt et le galop furieux d'un
cheval emballé.

Je ne savais absolument pas que faire. J'avais
grand mal à me maintenir en selle. Je tirais sur
les rênes de toute ma force, mais j'aurais aussi
bien pu entreprendre d'arrêter un bouledozer
avec une ficelle. Je comprenais maintenant le
sens littéral de l'expression « prendre le mors
aux dents ». Le bout de ferraille avait quitté
son logement normal, en arrière des dents du
cheval, à l'endroit où les commissures de sa
bouche sont sensibles à la plus légère touche.
Rusty l'avait maintenant coincé entre ses dents
puissantes ; j'avais beau tirer dessus, le geste
n'avait aucun effet.

Inutile de dire que je ne m'amusais plus du
tout. Pourtant, je n'étais pas prise de panique,
comme je l'avais craint un moment. Je connaissais les dangers de la situation : les racines et
les trous qu'un cheval lancé dans un galop
aveugle ne peut pas voir ; les branches basses
ou autres obstacles sous lesquels un cheval peut
passer, mais qui désarçonnent le cavalier, quand
ils ne l'assomment pas.

J'entendais le bruit de tonnerre du galop du
cheval de Darcourt, derrière moi. Mais Rusty,
dans sa course folle, avait abandonné le chemin assez large par lequel nous revenions pour
s'engager à toute allure dans une piste beaucoup plus étroite, bordée d'un sous-bois fort

touffu, si bien que Darcourt ne parvenait pas à nous doubler.

Je ne sais pas combien de temps se passa ainsi. Puis, j'aperçus au loin une lueur métallique. Je devinai que c'était la clôture. Mais j'avais vu aussi quelque chose de beaucoup plus préoccupant : une branche basse, aussi grosse que le tronc d'un petit arbre.

« Dieu me protège ! » pensai-je, tirant frénétiquement — et inutilement — sur les rênes. La branche était si basse que cela ne m'aurait servi à rien de m'aplatir sur le dos du cheval. Il allait falloir que je saute.

Je voulus vider les étriers, mais je constatai que le pied droit était coincé. Du coup, je pris vraiment peur d'aller me fracasser contre l'obstacle. Je tirai violemment sur mon pied droit, mais rien à faire. Puis, je pris conscience que, sur la droite, le chemin était un peu plus large, à cet endroit, et que le cheval de Darcourt, Sebastian, remontait à ma hauteur.

— Sortez votre jambe !

— Je ne peux pas ; j'ai le pied accroché.

La branche approchait. Je sentis un choc violent, dans mon dos, puis deux bras autour de moi qui s'emparèrent des rênes. Une bataille formidable s'ensuivit entre le cheval et l'homme, presque aussi puissants l'un que l'autre, avec moi entre les deux. Je ne l'aurais pas cru possible, mais Darcourt imposa sa volonté, obligeant Rusty à se mettre au petit galop puis à s'arrêter, à quelques mètres seulement du dangereux obstacle.

Le cheval, pantelant, épuisé, baissait la tête. Son poil était couvert d'écume : ses flancs haletaient. Mais je perçus aussi autre chose : un bruit de sabots, un galop qui s'éloignait. Au bout d'un moment, le bruit se perdit dans le lointain.

Darcourt m'entourait toujours de ses bras. Il avait fait passer les rênes dans sa main droite. Dans le grand silence revenu de la forêt, je me sentais faible, vidée, curieusement en paix. D'une voix bizarre, Darcourt me demanda :

— Pouvez-vous dégager votre pied gauche de l'étrier ?

— Oui, dis-je.

Je m'exécutai. Il mit lui-même son pied à la place du mien dans l'étrier, et, prenant appui dessus, descendit de cheval. Sans lâcher les rênes, il contourna la tête de Rusty, passa de l'autre côté et défit le lacet de mon espadrille, qui s'était pris dans la boucle de l'étrivière.

— Descendez maintenant. Passez votre jambe gauche par-dessus l'encolure et laissez-vous glisser.

Comme il n'y avait pas de montoir, cela me donna tout de même une petite secousse. Dès que j'eus les deux pieds à terre, je me mis à trembler.

— Ça va bien, oui ? demanda Darcourt.

— Oui.

— Menteuse ! fit-il (mais pas du tout sur le même ton qu'avant).

« Curieux ! » pensai-je en lui jetant un regard rapide. Quand il était en selle, j'avais remarqué qu'on ne voyait pas la légère différence de hauteur de ses épaules — non que ce fût très voyant — ni sa jambe plus courte. Je levai les yeux vers lui. Il me regardait.

— Vous tremblez, constata-t-il.

— Oui.

J'avais du mal à parler, car je me retenais à peine de claquer des dents.

— Ça va aller, réussis-je à dire.

— Vous êtes brave. Vous vous êtes bien débrouillée.

Sa voix avait eu un ton tout nouveau, gentil, chaleureux. Mais, ce ne pouvait pas être à cause de cela ; ce devait être la réaction, me dis-je sévèrement ; en tout cas, quelle qu'en fût la cause, mon visage se couvrit de larmes.

— Je suis très bien, hoquetai-je, d'un air aussi digne que je pus.

Je ne sais pourquoi, je crus nécessaire de le répéter. Seulement, cette fois, les mots se perdirent dans la poitrine de Tristan Darcourt, contre laquelle mon visage était appuyé. Deux bras puissants m'entourèrent. Puis, l'un des deux se retira. Je sentis sous mon menton une main qui relevait mon visage. Comme malgré moi, je me haussai sur la pointe des pieds pour aller à la rencontre de son baiser, et mes bras se nouèrent autour de son cou.

J'oubliai tout en cet instant : les raisons de

ma venue dans l'île Darcourt, les incidents troublants qui avaient jalonné mon séjour, l'étrange comportement d'Alix... Je me trouvais dans les bras de Tristan Darcourt et je désirais que ce moment ne finît jamais !

La seconde partie de ce roman paraîtra le mois prochain dans la collection Modes de Paris sous le titre :

AU-DELA DES MARÉCAGES

Achevé d'imprimer
le 26 février 1980
sur les presses
de l'imprimerie Cino del Duca,
18, rue de Folin, à Biarritz.
N° 4.

Dépôt légal n° 122.   2° trimestre 1980.